Lo inevitable del amor

Bestseller Internacional

Nuria Roca y Juan del Val
Lo inevitable del amor

ESPASA

No se permite la reproducción total o parcial de este libro,
ni su incorporación a un sistema informático, ni su transmisión
en cualquier forma o por cualquier medio, sea éste electrónico,
mecánico, por fotocopia, por grabación u otros métodos,
sin el permiso previo y por escrito del editor. La infracción
de los derechos mencionados puede ser constitutiva de delito
contra la propiedad intelectual (Art. 270 y siguientes del Código Penal).
Diríjase a CEDRO (Centro Español de Derechos Reprográficos) si necesita
fotocopiar o escanear algún fragmento de esta obra. Puede contactar
con CEDRO a través de la web www.conlicencia.com
o por teléfono en el 91 702 19 70 / 93 272 04 47

© Nuria Roca Granell, 2012
© Juan del Val Pérez, 2012
© Espasa Libros, S. L. U., 2012, 2013
    Avinguda Diagonal, 662, 6.ª planta. 08034 Barcelona (España)
    www.espasa.com
    www.planetadelibros.com

Diseño de la cubierta: © María Jesús Gutiérrez
Ilustración de la cubierta: Doyague
Fotografía de los autores: © JAS - www.sanchezdafos.com
Primera edición en Colección Booket: septiembre de 2013

Depósito legal: B. 15.797-2013
ISBN: 978-84-08-11887-9
Impresión y encuadernación: BLACK PRINT CPI (Barcelona)
Printed in Spain - Impreso en España

Nuria Roca Granell (Montcada, Valencia, 1972) es presentadora de televisión desde 1993. Ha hecho programas para TVE, Antena 3, Telecinco, Cuatro y La Sexta y ha participado en distintos espacios en COPE, M80 y Cadena Dial. En 2007 publicó *Sexualmente*, en 2009 *Los caracoles no saben que son caracoles*, y en 2011, junto con Juan del Val, *Para Ana (de tu muerto)*.

Juan del Val Pérez (Madrid, 1970) ha trabajado siempre detrás de las cámaras como redactor, guionista, productor y director de programas. *Lo inevitable del amor* es su segunda novela.

A mi madre

Tengo treinta y nueve años, que me parece una edad absurda por no ser ni una cosa ni la otra. Me llamo María Puente, que es un nombre muy normal, aunque en realidad mi nombre completo es María del Pino Puente Sánchez. Si lo dices muy deprisa, la gente no cae en lo de «pino-puente», algo que marcó mi adolescencia en el colegio, sobre todo en clase de gimnasia. Alguna vez reproché a mis padres que, apellidándome Puente, me bautizaran como María del Pino, en lugar de María del Carmen, por ejemplo, que es mucho más normal. La explicación de mi madre era que en su época no existía eso del «pino-puente». Y es que mi madre nunca dio clase de gimnasia.

Tengo que vestirme para ir a recoger a Carla y a Julia al colegio. Siempre vuelven a casa en la ruta, pero hoy quiero ir yo a buscarlas. Salen a las cinco y, para un día que puedo, quiero aprovechar. Todavía estoy un poco aturdida por los efectos de la botella de vino que nos hemos bebido Eugenio y yo en la comida. Últimamente necesito beber para que me apetezca acostarme con él. Y, desde hace tiempo, el mejor momento para mí es después de comer.

Eugenio se está abrochando los puños de la camisa con unos gemelos que yo le regalé en su último cumpleaños.

—Yo me voy para el estudio —me dice—. ¿Te veo luego por allí?

—No. Voy a ir a por las niñas y después he quedado con los americanos para visitar su obra antes de volver a casa.

Lo nuestro se está acabando. Es demasiado tiempo. Lo noto mientras le veo arreglarse. Eugenio es un hombre guapo y elegante. Antes me encantaba verle vestirse. Cuando se mete la camisa por dentro del pantalón del traje, siempre le queda perfecta, con una tersura casi artificial. Después, la maestría al colocarse los gemelos, al atarse los cordones de los zapatos, siempre brillantes, con tal precisión que los dos lazos quedan exactamente iguales, y su manera rítmica de hacerse el nudo de la corbata frente al espejo, que queda justo a la altura de la hebilla del cinturón.

Eugenio es fuerte y musculoso, con él siempre he tenido la tendencia a dejarme poseer, a disfrutar de mi pasividad, a abandonarme a lo que quisiera hacerme, incapaz de defenderme de su fortaleza. Con él, ése era mi instinto. Ahora le miro desde la cama y ya no me pasa lo que me pasaba cuando le veo ponerse la chaqueta y darme un beso de despedida.

—¡María, date prisa, que no vas a llegar al cole a recoger a las niñas!

Soy arquitecta. Una arquitecta brillante. Fui la número uno de mi promoción, logré algunos premios internacionales con mis primeros proyectos y con veintisiete años monté un estudio que hoy es uno de los más importantes de España. Me va bien, incluso en esta época de crisis me mantengo, y con lo que he conseguido durante todos estos años, la cuestión económica no es mi principal problema. La parte financiera del despacho la lleva mi marido. Menos mal, porque yo en eso soy un desastre. Me pierdo cuando se habla de ese tema porque no me interesa y, siendo sincera, tampoco lo entiendo. Así que el estudio es mío, pero sin él, tengo que reconocerlo, esta empresa no hubiera sido lo que es.

No es fácil terminar una relación. Aunque sepas que ya está acabada desde hace tiempo, te sigues engañando, poniendo excusas, como esa de que «en el fondo le quiero». Claro que le quiero, eso no tiene mérito después de las cosas que hemos vivido juntos. Eugenio me ha hecho disfrutar tanto, me he reído tanto con él... Pero ya no. Desde hace algún tiempo, no.

A lo mejor se lo digo hoy. En el estudio, antes de ir a casa. Posiblemente, no vaya a ver a los americanos y quede con él para decirle que lo nuestro tiene que acabarse.

Los americanos son Gene y Patty, una pareja de Nueva York con mucho dinero que nos encargaron el proyecto de una casa a las afueras de Madrid. Pusieron como condición que yo fuera la responsable de llevarlo a cabo, sin poder delegar en ningún otro arquitecto del estudio. Era un empeño de Gene, que, al parecer, había visto mi trabajo en nuestra web, se había informado bien sobre el estudio y sobre mí y exigió que el trato fuera directamente conmigo, sin ningún intermediario. Desde el diseño de los planos hasta la elección de materiales, cada posible cambio, o el más mínimo detalle durante todo el proceso de construcción debía comunicárselo yo personalmente. Los dos, especialmente Gene, conocían a la perfección cada una de mis casas y edificios. Me acabaron convenciendo para que no delegara en nadie el trabajo por medio del halago y además pagan esa dedicación exclusiva a un precio mucho más alto del que merezco. Esta casa está siendo, desde luego, la construcción más rentable de cuantas hemos hecho en Puente.

No acepté sólo por dinero, sino por el respeto que los dos tenían por mi trabajo y porque desde el principio demostraron un gusto excelente y un sentido estético muy cercano al mío. Gene es un escultor muy reconocido en Estados Unidos que vende su obra por todo el mundo y Patty dirige algunas galerías de arte en Manhattan. Gene y yo conectamos desde el principio, y eso que corrigió casi por completo el primer proyecto que les presenté. A otro no se lo hubiera consentido, pero sus cambios lo mejoraban tanto que decidí no defender mi criterio y hacerle caso. Me di cuenta pronto de que era una suerte trabajar con un artista de ese nivel, hasta podría aprender. Y además estaba dispuesto a pagar el valor de cada cosa e incluso más.

La mayoría de mis clientes no son así, qué más quisiera. También tienen dinero, claro, pero un nulo conocimiento del arte y de la arquitectura y muchas veces un gusto lamentable. Se han hecho ricos en la construcción, dirigiendo bancos, vendiendo y comprando cosas o jugando al fútbol. Lo bueno de ellos es que su escasa cultura les hace ser muy impresionables y basta una presentación ostentosa del proyecto de su casa para que lo acepten con entusiasmo, ellos y, sobre todo, sus mujeres.

Todo lo que se diseña en el estudio lleva mi sello, una manera de hacer, de concebir la arquitectura que ha dotado a la empresa de una personalidad propia. He conseguido esa marca a costa de rechazar proyectos. He dicho no —sobre todo al principio— a muchos encargos, aunque con algunos dejé de ganar bastante dinero. No hago casas que no me gusten, no concibo edificios de los que pueda avergonzarme, ni espacios a los que no encuentre una racionalidad, mi racionalidad.

De los que diseño cambiaría buena parte de ellos cuando están construidos, pero eso es otra cuestión. Dicen que muchos escritores no pueden volver a leer sus obras porque harían correcciones casi en cada párrafo. Eso es un poco lo que me pasa a mí con lo que construyo.

Yo no diseño cada encargo que nos llega al estudio, pero todos pasan por mí para su aprobación. Superviso siempre lo que dibujan mis arquitectos. Ahora debo de tener más o menos cincuenta, entre la delegación que tenemos en Valencia y en Madrid, unos quince menos que cuando empezó la crisis, pero los que quedan, de momento, los podré mantener. Eso espero. Son buenos y saben cómo se trabaja aquí. Saben cómo trabajo yo. Saben cómo soy.

Me cuesta creer que ésta haya sido la última vez que me he acostado con Eugenio. Me pone nerviosa ese pensamiento. Muy nerviosa, pero nada triste. Le llamo al móvil.

—¡Eugenio! He retrasado mi encuentro con los americanos para mañana. Me gustaría verte luego en el despacho, antes de ir a casa.

—¿Pasa algo?

—Tenemos que hablar.

—¡Pasa algo!

—Quiero dejarlo.

—No me parece que por teléfono...

—Llevas razón —le digo—. Me paso luego por ahí y hablamos. Las niñas están con la chica y quiero llegar antes de que se acuesten.

Conocí a Eugenio en la universidad, en cuarto de carrera. En un principio no me gustó por el mismo motivo por el que después me encantó. Éramos muy distintos. Yo era una alumna brillante y él, cuando aprobaba, lo hacía con lo justo. Yo llegué a cuarto a curso por año, y allí me lo encontré, tres años mayor que yo, los que tardó de más en llegar. Era de un equipo de rugby, hacía artes marciales, pasaba de política, jugaba al mus, dicen que con maestría, y le gustaba el fútbol. Yo leía poesía, no soportaba los deportes y era una feminista radical. Eugenio alternaba con rubias y morenas al tiempo que con rellenas y flacas. Y yo, que por supuesto no quería ningún novio, tenía algunas relaciones ocasionales a las que solía seguir un largo periodo de abstinencia. Era una mujer libre, me decía a mí misma muy convencida.

Nuestro primer encuentro fue un desastre. Yo me relacionaba poco con el resto de alumnos, pero tenía dos amigas, Elisa y Blanca, con las que solía intercambiar apuntes y tomar algo después de salir de clase. Un viernes que salimos juntas Blanca había quedado a su vez con un grupo de otros tres chicos que lideraba Eugenio. Él y yo no encajamos, hasta el punto de enzarzarnos en una absurda discusión que acabó con él llamándome «amargada» y yo a él «machista de mierda», un insulto al que yo recurría con frecuencia en aquella época. Se lo llamaba a todo el mundo, porque por aquel entonces casi todo el mundo me lo parecía. Me da un poco de vergüenza recordar aquel extremismo que me acompañaba en esos años, igual que cuando veo tiempo después los edificios que he diseñado.

Con el paso de los años Eugenio y yo nos hemos acordado algunas veces de aquel primer encuentro, pero sin poder precisar nunca cuál fue el motivo de la discusión. Eso sí, estoy casi segura de que yo no llevaba razón.

Quise ser arquitecto desde muy niña. Me obsesionaban los estudios y el dibujo. Un día, tendría yo ocho o nueve años, estaban poniendo en televisión un reportaje en el que se hablaba de arquitectura, desde las pirámides de

Egipto hasta las Torres Gemelas de Nueva York. No recuerdo nada de lo que contaban, pero tengo nítida la idea de que después de aquel programa ya tuve claro lo que iba a ser de mayor.

Tenía una habilidad innata para dibujar. Mi estado natural desde que tengo memoria es con un lápiz en la mano, plasmando cuanto veía. Aunque mi madre se desesperaba, o precisamente por ello, nunca me dio por pintar paisajes bucólicos, ni flores, ni bodegones. Yo casi siempre dibujaba una parte del todo. De una profesora podía dibujar sólo uno de sus ojos; de mi madre, la nariz; de una compañera, sus labios. Y eran ellas, inconfundiblemente. Tardé mucho, hasta pasada la adolescencia, en dibujar a las personas enteras. Me parecía que lo evidente tenía poco interés, y si no me lo parecía entonces, tan niña, me lo parece ahora.

Qué rabia me da sentir la nostalgia que siento pensando en Eugenio. Si me quedo agarrada a ella, no voy a ser capaz de decirle que lo nuestro tiene que acabar. La nostalgia se aprovecha también de esa visión por partes que tenía dibujando de niña. Y a mi mente sólo vienen las partes mejores, aquéllas en las que no aparecen ni el aburrimiento ni la rutina. Sólo las risas y los besos y la pasión. Y, como en los dibujos, esas partes son también, inconfundiblemente, Eugenio. La nostalgia convierte los mejores recuerdos en presente. Es así de perversa.

Mis hijas, ya lo he dicho, se llaman Carla y Julia. Son mellizas y tienen diez años. Hace un par de décadas tener mellizos era excepcional, casi un accidente, pero ahora, con los tratamientos de fertilidad, es más habitual. Muchas parejas dicen que es porque en su familia hay antecedentes, pero casi nunca es verdad. Nunca he comprendido por qué mentimos en esto, pero el caso es que se hace. Yo, a las mías, las tuve porque me sometí a un tratamiento después de unos meses intentando tener hijos por el método natural sin lograrlo. Cada vez que escucho decir a una persona eso de «por el método natural» me la imagino follando en la cama, no lo puedo evitar. La visualizo durante un rato con su pareja y tardo en volver a la conversación.

La versión oficial desde que supe que mi embarazo era doble fue que en la familia de mi madre había un par de tías que habían tenido mellizos hacía mucho tiempo. El problema de aquella mentira es que la interioricé tanto que un día, embarazada de siete meses, se la estaba contando a mi propia madre, que me recordó que ella no tuvo jamás una tía con mellizos. Lo hizo con naturalidad, sin meter demasiado el dedo en la herida que provocaba mi absurda mentira y siguió leyendo el *¡Hola!* «Esta chica me encanta —dijo de una actriz que salía fotografiada con su nuevo novio—, siempre tan mona».

Carla se parece mucho a mí y Julia más a su padre, tanto físicamente como en el carácter. Carla es rubia como yo y Julia morena como él. La genética es muy caprichosa. A las dos les gusta dibujar, aunque Carla es más constante, más disciplinada. Por eso digo que se parece más a mí, creo. Julia es más guapa, a pesar de tener las orejas de soplillo. No muy grandes, menos mal, pero muy de soplillo. En eso es idéntica a su padre, aunque él se las operó nada más terminar la carrera. Yo no llegué a conocerle con las orejas abiertas, pero le he visto en foto y la pobre Julia las tiene igualitas. Todavía es pequeña y no le afecta, pero supongo que dentro de pocos cursos los niños le harán sufrir en el cole por ese motivo. Su padre me contaba que las orejas de soplillo le traumatizaron mucho. La mayoría de los niños con los que jugaba ni siquiera sabían su nombre porque él era sencillamente «el Orejas». No le echaron mucha imaginación las criaturas en el mote porque tampoco era necesario. «¡Eh, Orejas, pásame la pelota!». Un apodo descriptivo cuya crueldad residía precisamente en su simpleza. Cuando me lo cuenta, me río, pero como a mi niña alguien se le ocurra llamarle «la Orejas» no sé lo que le hago.

Me gusta mi familia, la he hecho bien. A veces me parece que es una creación similar a construir un edificio. Al margen del tópico ese tan cursi de que la relación con mi marido tiene buenos cimientos, la mía además es una familia bonita. Puede parecer una definición un poco frívola, y lo es, pero lo pienso de verdad. Los cuatro somos guapos, tenemos clase y pegamos mucho entre nosotros. Sí, ya sé que no queda muy bien decirlo, pero somos una familia bonita.

No estar bien con Eugenio afecta a todo lo que me rodea, también a mi familia. Pero hay que ser honesta y lo nuestro tiene que terminar porque, de no ser así, lo contaminará todo. Es mejor acabar cuando no todo está muerto, cuando las cosas aún tienen algo de color.

Cuando llego al estudio, ya sólo quedan un par de arquitectos. Y Eugenio, que me está esperando y que se levanta al verme entrar en mi despacho.

—¡Pasa y cierra la puerta! —le digo cuando ya está dentro.

—¿Lo tienes claro? —me pregunta sin sentarse.

—Sí, quiero dejarlo.

—Esto ya ha sucedido otras veces —me recuerda— y yo no puedo estar así eternamente.

—Ahora estoy convencida.

—¿Hay alguien?

Hay preguntas que no quieres que te respondan, porque un «sí» dolería y un «no» no sería creíble. «¿Hay alguien?» es una de ellas.

—Ése no es el problema, y lo sabes —contesto.

Eugenio y yo nos conocemos muy bien. Hemos sido cómplices de muchas cosas. No nos podemos engañar con facilidad porque hay algo en nuestra mirada que nos delata. Nos miramos fijamente unos segundos en silencio, los dos de pie, cada uno a un lado de la mesa de mi despacho y nuestras miradas descubren la verdad del otro. Y esa verdad es que yo ya no quiero estar con él y que a él no le importa demasiado. Eugenio y yo lo hemos dejado otras veces, pero los dos nos damos cuenta de que ésta es distinta.

—Sabes que te quiero, ¿verdad? —me dice interrumpiendo la conexión de las miradas.

—Eso siempre —contesto mientras le beso en los labios.

—Si te parece, voy a irme a Valencia mañana.

—Perfecto. Es mejor que no vengas al despacho durante unos días.

En Valencia tenemos una delegación del estudio. Abrimos allí porque hace unos años construimos mucho en Levante, era una tierra esplendorosa para los negocios. Hicimos viviendas, un campo de golf y también algo de obra pública. Ahora todo es distinto, ya no hay negocio y estamos valorando la posibilidad de cerrar la delegación y quedarnos sólo en Madrid. Son decisiones que han de tomarse si diriges una empresa, aunque yo nunca las tomo hasta que no me dicen que hay que tomarlas. No entiendo de eso, no me apetece entender. A veces me arrepiento de estar en esta aventura empresarial y creo que si volviera atrás, no lo haría. Menos mal que tengo a mi marido, que se encarga del trabajo sucio, ese que tiene que ver con los números, los balances, la financiación... Eso, pase lo que pase entre nosotros, sé que nunca cambiará.

El estudio, ya lo he dicho, se llama Puente. Ése es su nombre porque no se me ocurrió ninguno mejor. Es mi apellido y tiene que ver con la construcción, si bien, curiosidades aparte, yo jamás he diseñado un puente.

Trabajo más de diez horas al día de lunes a jueves y el viernes me lo suelo tomar libre a partir de las dos. Algunas veces me llevo trabajo a casa los fines de semana y lo voy adelantando antes de que las niñas se despierten. Yo me levanto todos los días a las siete, sábados y domingos también, así que tengo un par de horas o tres para dibujar antes de estar con ellas.

Hoy es jueves y es bueno que Eugenio se haya ido a Valencia esta misma noche y vaya a pasar allí la semana que viene entera. Aunque hablaremos, no le veré en los próximos días. Hay que ir normalizando la situación. Creo que él también lo tiene claro y eso nos facilitará mucho las cosas.

El atasco de vuelta a casa ha sido aún peor de lo habitual porque un camión de naranjas ha perdido su carga en la M-40. Un día más las niñas ya estarán durmiendo.

Les he dado las buenas noches por el móvil desde el coche, mientras estaba parada. Espero que me tenga la cena preparada.

Me encanta llegar a casa los jueves, es mi día preferido, por la noche doy casi la semana por terminada. El viernes es más relajado y por delante está el fin de semana.

—¡Mamá, mamá! —me reciben mis hijas corriendo hasta la puerta.

—¡Reinas! ¿Pero vosotras no estabais durmiendo?

—Te queríamos dar una sorpresa —dice Julia.

—Papá te ha hecho canelones —desvela Carla.

—Tonta, no se lo digas, que era sorpresa.

Da igual que Carla haya desvelado el secreto. De la cocina viene el aroma inconfundible de los canelones, mi comida preferida. Sobre todo los que hace Óscar, mi marido, que son los mejores del mundo.

Las niñas me arrastran hasta la cocina y allí está él terminando de servirlos en la mesa.

—¡Hola, cariño! ¿Qué tal el día?

—Mucho lío, como siempre.

—¡Venga, niñas! —les digo—. Subid a la cama que papá y yo queremos cenar tranquilos.

Óscar, además de ser mi marido y el padre de mis hijas, es, como he dicho, el director financiero del estudio y el encargado de hacer y deshacer todo lo que tenga relación con la economía del despacho. Yo ya no tengo ni que firmar porque le di a él todos los poderes para no perder tiempo en esas cosas. Óscar entró a trabajar en Puente a los tres años de su creación, justo cuando nos empezábamos a hacer grandes. Me lo recomendó mi padre, que lo había conocido después de haber salvado un par de empresas de amigos suyos a base de una buena organización y de un par de ideas para ampliar líneas de negocio que fueron muy rentables en ambos casos. A mí, que siempre he tenido la certeza de que lo único que sé hacer bien es dibujar, cuando oía hablar de «líneas de negocio» y «rentabilidades», me entraba un poco de ansiedad. Mi padre, que siempre me ha ayudado a llevar la empresa, me dijo que había que contratarle porque el estudio lo necesitaba —había crecido mucho y se me estaba escapando de las manos— y porque en ese momento estaba libre después de haber dejado la última empresa en la que había trabajado, una firma discográfica.

Hay días que parecen ser como otro cualquiera, veinticuatro horas más que pasan después de las anteriores y previas a las que compondrán el día siguiente. Así era el día en el que Óscar llegó al estudio para que yo le hiciera la entrevista de trabajo. Ese día, que transcurría como los demás, yo esperaba a un economista cincuentón, con poco pelo, con su traje y su corbata y un probable sobrepeso, que me iba a ayudar a tomar las riendas del estudio. Estaba dibujando en mi despacho no recuerdo qué casa de qué rico cuando Paula, la secretaria, me llamó y me dijo que ya había llegado Óscar Palau, el economista. Le dije que le hiciera pasar a la sala de juntas y le ofreciera un café. Ese día, normal como todos los días que van uno detrás de otro, pasé por el servicio antes de entrevistar al que podría ser el director financiero de Puente. Después me lavé las manos, me recompuse el pelo y me quité del ojo derecho lo que empezaba a ser una legaña pequeña teñida de negro por culpa de la raya de lápiz de ojos que me había puesto hacía ya algunas horas. Lo normal, como cualquier día que no tiene nada de especial respecto al anterior o al siguiente.

Antes de entrar en la sala de juntas Paula me sonrió de una forma que no supe interpretar hasta que abrí la puerta y vi al tal Óscar Palau. El economista al que había imaginado, no sé por qué, con sobrepeso y escaso de pelo era un tipo de treinta y pocos años, de casi uno noventa de estatura, proporcionado, delgado y muy guapo. El día dejó de ser como cualquier otro en el mismo momento en el que Óscar Palau me saludó con dos besos y me dedicó la sonrisa más sexy que había visto en mi vida. Le contraté, claro, y a los tres meses estábamos viviendo juntos.

Diez años después estoy aquí, en la mesa, cenando con él los canelones más ricos del mundo mientras nuestras hijas Carla y Julia duermen en la planta de arriba de nuestro chalet. Diez años en los que han pasado muchas cosas desde aquel día que no fue un día cualquiera.

Mi madre se llama Ernesta y está convencida de que tiene poderes. No es que esté loca, sino que ha asumido que es como una especie de bruja con capacidad para adivinar cosas que le van a suceder a ella y a las personas que la rodeamos. En algunos momentos de su vida incluso ha pretendido abrir una consulta para adivinar el futuro de la gente. Mi padre y yo siempre le hemos quitado esa idea de la cabeza argumentando que una señora de su clase no debe dedicarse al oficio de pitonisa porque la gente no se la tomaría en serio. Además, yo creo que mi madre ni ve el futuro ni adivina nada. Ni ella ni nadie. Soy muy escéptica con esos temas.

Mi madre dice que lo que sueña se cumple, casi siempre tragedias. Más de una vez se ha levantado sobresaltada a media noche y me ha despertado a voces a las tres de la mañana porque ha soñado que yo estaba muerta en la cama y quería comprobar que respiraba.

—¡María, María! —gritaba al tiempo que me zarandeaba—. ¿Estás viva?

—¡Claro, mamá! —contestaba sobresaltada.

—¿Estás segura?

Mi madre, como todas las madres, tiene muchas particularidades, aunque la mía, sin pretenderlo, tiene mucha gracia. Dice las cosas más absurdas con tanta naturalidad que es imposible saber si está hablando en serio o te está tomando el pelo. Por ejemplo, de vez en cuando ve fantasmas. No los ve nítidos, explica, sino como una especie de sombras que vienen a comunicarle cosas. Algunas son trascendentales, como cuando el fantasma de un banquero le dijo hace años que iba a haber una gran crisis económica; y otras son de menor calado, como por ejemplo cuando está en la cola de la caja del súper y la sombra de un fantasma le recuerda que se le ha olvidado comprar huevos. Ella, como médium, dice, es bastante completa.

En los últimos meses ha estado saliendo con un señor que se llama Juanjo y creo que está muy a gusto con él.

Los dos tienen dinero, intereses parecidos y pasan gran parte de su tiempo viajando.

Mi padre se llama Antonio, aunque yo nunca le he llamado papá. Vive en Santander, pero últimamente no voy mucho a verle porque no soporto a la mujer que vive con él, una mexicana que tiene un año más que yo. Demasiado joven para estar con mi padre y, sobre todo, demasiado joven para tener ya la cara sin expresión a causa de su desmedida afición al bótox. Llevan muy poco tiempo juntos, pero él parece considerarla la mujer de su vida. Incluso se ha planteado casarse con ella. Hay mujeres expertas en manipular la voluntad de los hombres cuando llegan a determinada edad. Supongo que lo harán, sobre todo, por la noche en la cama, porque es evidente que esta mexicana en concreto no ha podido enamorar a mi padre por nivel cultural.

Viven en un piso de trescientos metros cuadrados y más de cien de terraza con vistas al mar. Un sempiterno collar de perlas blancas al cuello y un pelo cardado con mucha laca son elementos que ella considera propios de una señora elegante, que es de lo que parece ir disfrazada todo el rato. Me saca de quicio Estefanía, que es así como se llama la mexicana.

Para mí, la estética es un concepto poco valorado: tiene más importancia de la que se le da. Las cosas deben ser bonitas, que es otra palabra que se utiliza con escaso rigor. Sin estética, sin que las cosas que me rodean tengan belleza, me resulta muy difícil vivir. Siempre me ha parecido una simpleza eso de que «para gustos hay colores». No es verdad. Hay personas que tienen un gusto lamentable y eso no es una cuestión subjetiva. El buen gusto, la estética, la belleza tienen que ver con la cultura, con el respeto a uno mismo y a los demás. El buen gusto tiene que ver, en definitiva, con la inteligencia. La mexicana amiga de mi padre, por ejemplo, es muy poco inteligente, por eso lleva ese pelo. Son cosas que cuadran siempre.

La casa de los americanos va a ser la obra más rápida de todas las que hemos hecho en Puente. En arquitectura, con los medios que hoy existen, puede hacerse lo que se quiera. La imaginación sólo tiene límite en el dinero. Pasa lo mismo con los plazos, que con dinero pueden reducirse de manera casi milagrosa. Gene tenía mucha prisa por acabar su casa, nunca entendí por qué, pero como estaba dispuesto a pagar lo que fuera preciso se ha estado trabajando día y noche y con más personal que en ninguna otra obra que yo haya hecho, ni seguramente haré. Además, todo está saliendo de maravilla y, cosa rara, sin ningún contratiempo.

En el estudio me he entretenido más de la cuenta y llego algo tarde a mi cita con los americanos. Menos mal que me ha llamado Gene para pedirme disculpas porque ellos también iban a llegar tarde. Será cuestión de media hora, me ha dicho antes de colgar. La puntualidad, como la estética, es otra cosa que valoro mucho. También tiene que ver —en este caso se entiende mejor— con el respeto a los demás.

Mientras espero a Gene y a Patty me doy una vuelta por la obra. Me da un poco de rabia reconocer que ésta es la mejor casa que he diseñado nunca, siendo precisamente el único proyecto que sé que no es del todo mío. Las aportaciones de Gene me han hecho evolucionar en mi manera de concebir la arquitectura hasta un grado al que posiblemente hubiera llegado dentro de muchos años. Además, esta casa me ha mostrado algunos errores que he cometido en las que he hecho hasta ahora. Es el equilibrio que jamás he sabido encontrar entre lo estético, lo artístico y lo funcional. Es la más compleja y a la vez la más sencilla que he concebido nunca. Y sé que ha sido gracias a él.

Estoy en la parte de atrás de la casa, cerca del jardín, en lo que será el taller de escultura de Gene cuando esté terminada. Me ha contado que sus esculturas nunca nacen de un pensamiento, sino de un impulso. La mayoría son después grandes obras en hierro, pero al principio las concibe en arcilla. Y lo hace con muy poca luz, casi a oscuras. Gene afirma que para ser un buen escultor es imprescindible ser ciego, aunque sólo sea a ratos. Lo cuenta con gracia, pero su teoría me parece fascinante. La luz, dice, da una información que suele contaminar el instinto, la intuición. Pasa horas modelando arcilla, dice que en ese proceso siente mucho más de lo que ve. Cuando termina y ve el resultado tiene la esencia de la obra, todo lo demás es oficio. Me encanta hablar de arte con Gene, tenemos muchísimas cosas en común y, además, lo hace en perfecto castellano. Al parecer, su abuelo era andaluz y él ha pasado varias temporadas en España.

Un obrero que anda cortando ladrillos me mira el culo con un disimulo inútil al pasar a su lado y le entra la risa floja al escuchar la señal de llamada que tengo grabada en el móvil. Es la voz de mis hijas diciendo: «Mamá, cógelo, mamá, cógelo». Me parece absurdo, pero Carla y Julia me han pedido que no lo quite y no lo he hecho.

—¿Diga?

—¡María!

—Dime, mamá.

—¿Ha pasado algo?

—¿Qué va a pasar, mamá?

—Algo malo, hija. He tenido un presentimiento.

—¿Ya estás otra vez con los presentimientos? Anda, déjame, que estoy trabajando.

Un coche se acerca, pero no son los americanos. Un obrero se baja sobresaltado de él y se dirige a unos compañeros que están trabajando a la entrada de la casa.

—¡No veáis qué hostión en la carretera, colegas!

En la construcción se suele hablar muy alto y con un vocabulario contundente.

—¿Qué ha *pasao*? —preguntan los otros.

—Un Mercedes *to* gordo que se ha *empotrao* contra un camión. Los que *haiga* dentro están *palmaos*.

—¡Qué marronaco, chaval! —concluye el más joven de la cuadrilla.

Me quedo inmóvil, incapaz de reaccionar. Tengo la certeza de lo que acaba de ocurrir. Llamo al móvil de Gene, luego al de Patty. Ninguno contesta. No pueden hacerlo. Gene y Patty venían a verme en ese Mercedes negro para hablar de la casa que les estoy construyendo. Estoy segura de que Gene y Patty acaban de morir.

Yo nací en un coche, camino del hospital. Es una cosa que mi madre no previó con sus supuestos poderes, aunque ella dice que sí, que era eso precisamente lo que había presentido. Todo es así de relativo. Fue el destino o una simple casualidad que yo naciera en aquel coche, pero ese hecho nos cambió la vida a las dos. Probablemente si mi madre hubiera prestado más atención a los dolores que sintió en el vientre desde la noche anterior y no hubiera esperado hasta el último momento, yo habría nacido en un hospital como todo el mundo y no en el asiento trasero de un Dodge.

Mi madre fue una madre soltera, cosa que a principios de los setenta no resultaba sencillo y menos en una familia madrileña de clase alta. Era huérfana de madre desde muy niña y vivía con mi abuelo y la segunda mujer de éste en la avenida del Generalísimo —lo que ahora es el Paseo de la Castellana—, al lado del Bernabéu, en un piso enorme con varios salones, habitaciones inmensas y hasta una zona para el servicio, que lo componían dos muchachas de un pueblo de Valladolid que además eran hermanas. Mi abuelo se acostaba con las dos. Por separado, naturalmente. Ninguna sabía que su hermana tenía un lío con el señor hasta que una se lo confesó a la otra y se descubrió el pastel. Las dos hermanas dejaron de trabajar en la casa y mi abuelo tardó algunos meses en ser perdonado por su mujer, que a partir de entonces eligió ella personalmente al servicio.

Mi abuelo, Braulio se llamaba, había hecho dinero después de la guerra fabricando telas que primero vendió por su cuenta y después acabó sirviendo a casi todos los comercios de Madrid y otras provincias de Castilla. Un negocio próspero que permitió que Ernesta estudiara y se convirtiera en una señorita con todos los requisitos para casarse bien con algún chico del barrio de Salamanca. Eso era lo que estaba dispuesto para ella hasta que un día se cruzó en su camino un artista extranjero con el pelo largo que estaba de paso y con el que vivió una historia de pasión que duró apenas un mes. Se escapó con él a Sevilla sin decir nada a mi abuelo y cuando volvió ya estaba embarazada de mí. Nunca he sabido mucho de mi padre biológico, ni siquiera sé si está vivo o muerto. Tampoco de aquel mes en el que mi madre perdió la cabeza y se marchó con él a una buhardilla al lado de la Giralda en la que yo fui concebida. El artista se marchó y ella regresó a su casa de la avenida del Generalísimo con el corazón partido.

Mi madre nunca me habló mucho de aquella historia, de la que no tuve conocimiento hasta mi adolescencia. Cuando me enteré, tuve la intención de buscarle, de conocer algo sobre mi pasado, aunque se tratara tan sólo de un pasado genético. Esa inquietud me duró poco, y aunque a veces lo pienso, no sé realmente qué haría si estuviera vivo. Aquel artista no dejó tampoco demasiada huella física en mí, porque me parezco muchísimo a mi madre. Y a medida que me hago mayor, más. Eso sí, que quede claro que sólo me parezco físicamente, nada más.

Mi abuelo echó a mi madre de casa por la deshonra que suponía que su hija fuera a ser madre soltera. En realidad, la echó sin echarla, porque mi madre se fue a casa de una tía suya y allí pasó el embarazo mantenida por mi abuelo Braulio aunque fuera a distancia.

El día de mi nacimiento ocurrió que mi madre decidió salir de casa cuando era demasiado tarde y yo ya estaba deseando conocer este mundo. Intentó coger un taxi, pero no pasaba ninguno y, mientras esperaba, se apoyó en un Dodge que había aparcado en segunda fila para aguantarse la tripa y a ella misma.

—¿Le pasa a usted algo, señora? —preguntó a mi embarazadísima madre el joven del Dodge.

—¿Usted qué cree, imbécil? —contestó ella.

—¡Lo siento, señora! —se disculpó el hombre al darse cuenta de su absurda pregunta.

Salió del coche para ayudar a mi madre a subir a él y llevarla al hospital. No llegaron: a un par de manzanas el chico tuvo que detenerse y asistir a mi madre en el asiento trasero del Dodge. Soportó el parto, le dio ánimos y me sujetó a mí cuando decidí venir definitivamente a este mundo. Me colocó encima de la tripa de mi madre y nos llevó al hospital para que los médicos terminaran el trabajo.

Al día siguiente el joven fue a visitarnos al hospital. Y después de aquella visita vino la siguiente. Y después otra. Fue él quien nos llevó de regreso a casa en su Dodge —en realidad, era de su padre—, ya limpio de los restos del parto. No hay que ser muy perspicaz para descubrir que aquel hombre que, por casualidad o porque lo quiso el destino, me ayudó a nacer se llama Antonio y es mi padre, aunque yo nunca le he llamado papá.

Gene y Patty no tenían hijos. La Guardia Civil me llamó después del accidente porque mi número era el último que había marcado Gene. Tuve que reconocer sus cuerpos en el Instituto Anatómico Forense antes de que, desde allí, se pusieran en contacto con la embajada estadounidense para localizar a algún familiar directo. Sólo apareció un hermano de Patty, que vino a Madrid con su mujer para repatriar los cadáveres. Un término este de repatriar que siempre me ha sonado muy militar.

La pareja era realmente extraña. Creo que me dijeron que vivían en Dakota, pero tampoco presté mucho interés a lo que hablaban. Feos los dos hasta el extremo, él era una especie de vaquero gordo con su sombrero, sus botas camperas de punta, su camisa a cuadros y su corbatita de *cowboy*, de esas finitas tan horrorosas. Ella era rubia, casi albina, igualmente gorda y con ese aspecto tan reconocible que tienen las mujeres que se lavan el pelo mucho menos de lo aconsejable. Parecía increíble que aquella pareja tuviera algo que ver con Gene y Patty, así que para cerciorarme se lo pregunté en más de una ocasión al funcionario de la embajada, que me aseguró que sí, que aquel *cowboy* era hermano de Patty.

Antes de regresar a Nueva York con los dos ataúdes, la pareja me indicó que los abogados de Gene se pondrían en contacto conmigo para resolver cualquier cuestión sobre la obra. En todo caso, por si no lo hacían, me dejó una tarjeta de un bufete de Manhattan con un nombre muy largo: Skadden, Arps, Slate, Meagher & Flom.

Me la guardé y también todos los objetos personales de Gene y Patty que la policía recogió el día del accidente. Se los quité al *cowboy* y a su mujer sin que se enteraran justo antes de que embarcaran rumbo a Nueva York. Lo hice porque quería conservar algo de ellos y no una simple tarjeta de un bufete de abogados. Las cosas de Gene y Patty estaban en un sobre que le habían entregado al hermano de Patty en el juzgado. El sobre iba dentro de una de las maletas que el *cowboy* y su mujer llevaban como equipaje de mano, que yo me quedé cuidando mientras ellos se pedían un café y un cruasán en la cafetería del aeropuerto. Fue muy fácil sacarlo de la maleta y meterlo en mi bolso.

En las últimas semanas todo ha ido muy mal. Desde la muerte de los americanos no he parado de recibir malas noticias. Eugenio me cuenta que el estudio de Valencia no funciona, no salen obras nuevas y las que tenemos están a punto de acabar. Todo está muy parado y los números no salen. Hace unos días fuimos Óscar y yo para reunirnos allí con Eugenio. Antes, cuando estábamos los tres juntos, me ponía más nerviosa, pero con el tiempo se me fue pasando y ya soy capaz de olvidarme de que el director financiero de Puente y su arquitecto más importante son mi marido y mi amante. Bueno, ya no, porque lo de Eugenio se ha acabado.

Óscar supo desde el principio que yo había tenido una relación con Eugenio, que era mi amigo mucho antes de que él apareciera en mi vida. Por supuesto, no sabe que Eugenio ha seguido siendo mi amante durante buena parte de nuestro matrimonio.

Nos reunimos fuera del estudio para que la gente que trabaja allí no especulara. Fuimos a comer un arroz a uno de los restaurantes que hay en la playa de la Malvarrosa. Amenazaba lluvia, así que no pudimos comer en la terraza. Yo me limité a escuchar a los dos hablando de balances y presupuestos con un montón de papeles encima de la mesa. Ni los números ni los chipirones que pedimos de aperitivo mientras se cocinaba el arroz con bogavante para tres tenían buena pinta. Pero las dos cosas las iba digiriendo como podía. Robé uno de los papeles de la mesa, saqué un lápiz del bolso y me puse a dibujar. Las voces de mi marido y mi examante cada vez me resultaban más lejanas, aunque podría resumir perfectamente la esencia de la reunión: había que cerrar el estudio de Valencia y salvar a un par de arquitectos jóvenes con proyección para llevarlos a Madrid. Al resto de personal habría que despedirle.

—¿Qué haces?

—¡María! ¿Estás aquí?

Eugenio y Óscar intentan devolverme a la conversación.

—Sí, claro que estoy aquí —contesto sin mucha convicción, absorta en el dibujo.

—¿Qué es eso? —pregunta Eugenio señalando el papel.

—Parece un, no sé, un... Bueno, ¿qué es? —dice mi marido, al que se le nota que lo suyo son los números.

—No lo sé —contesto con franqueza—. Es una parte de algo, pero, la verdad, yo tampoco tengo ni idea de lo que es. Lo he dibujado por intuición.

Nada más pronunciar esa frase recordé una conversación con Gene hablando precisamente de la intuición. Él opinaba que ésta no tiene nada de abstracto, que es producto de la información y el conocimiento. La intuición, decía, es eso que sabemos sin saber que lo sabemos.

Guardé el folio con el dibujo que ni yo misma sabía interpretar y ahí sigue, hasta que sea capaz de averiguarlo. Sé que se trata de algo importante. Tengo esa intuición.

Mi madre se ha venido a casa unos días porque en la suya han aparecido hormigas voladoras. Sólo eran unas pocas en una esquina del salón, pero ella dice que es una plaga. Ha contratado a una empresa y les ha hecho fumigar todo el piso, hasta el último rincón. Incluso los profesionales le advirtieron que aquello era un poco exagerado, pero ella ha decidido atajar el problema de raíz.

Otra cosa que ha solucionado de raíz es su relación con Juanjo, con el que ha roto hace unos días. No ha sido nada traumático, simplemente los dos decidieron que era mejor dejarlo porque hacía algunos meses que se aburrían y, como dice ella, qué necesidad hay. Mi madre hace las cosas siempre de una manera muy natural, no suele haber violencia en nada de lo que hace, ni siquiera en las rupturas hay énfados, ni gritos, ni reproches. Con Juanjo no ha sido una excepción. Siempre termina bien, sabe ponerle a las cosas un final suave.

Carla y Julia llaman a mi madre abuela Nesta. Ernesta era imposible de pronunciar cuando empezaban a hablar y con Nesta se ha quedado para siempre.

Cuando mi madre viene a vernos siempre me pongo muy contenta y me hace mucha ilusión. Una felicidad que dura lo que dura: más o menos la primera media hora. Nos saludamos, ella dice lo guapísimas que son sus nietas, le ofrezco un café y comentamos las novedades más superficiales de nuestros últimos días. Una vez que pasa ese rato, ya nada fluye como debería y... pues eso.

—¡Qué bueno está este queso fresco, hija!

—¡Es queso de Burgos, mamá!

—Perdona, esto toda la vida se ha llamado queso fresco.

—¿Pero qué dices, mamá? Siempre se ha llamado queso de Burgos.

—El queso de Burgos, bonita, puede ser fresco o de más maneras. Y esto es queso fresco.

—El queso fresco puede ser de Burgos o de cualquier sitio y éste es de Burgos.

—¿Es que estabas tú en Burgos viendo hacer el queso?

—No, no estaba en Burgos.

—¡Pues entonces!

Las madres nos gustan más cuando no estamos con ellas. Es una ley universal. Si pienso en la mía o si hablo de ella con alguien, mi descripción sincera es la de una mujer que me cae bien y su biografía, la de una persona que me resulta admirable. Es inteligente, sensible, muy graciosa e incapaz de hacer daño a nadie. Ésa es ella hasta que estamos juntas. Entonces se convierte en mi madre, una persona torpe, desfasada, empeñada en desaprobar todo lo que hago y con un dudoso gusto. Si Ernesta no fuera mi madre, podría ser mi mejor amiga, pero como es mi madre no la puedo soportar.

Entre los objetos de Gene y Patty hay un reloj Cartier de Patty precioso, un Rolex de esfera verde de Gene, dos iPhone con la batería ya descargada, un anillo de Patty, supongo que de gran valor, los dos pasaportes y varias tarjetas de crédito entre las que se mezclan dos llaves del hotel Santo Mauro, donde se alojaban cuando estaban en Madrid. No me siento bien manoseando estos objetos. Gene y Patty, en realidad, eran dos desconocidos, simplemente unos clientes, aunque fueran mis clientes favoritos. Tengo la tentación de cargar los dos móviles e investigar. Sé que no estaría bien. Puedo cargarlos, aunque luego no los investigue. Pero si no voy a hacer nada, entonces ¿para qué los voy a cargar? Me pregunto si los muertos tienen intimidad. Si una vez que desaparecemos de este mundo tenemos derecho a guardar secretos.

Meto la clavija del cargador en el teléfono de Gene y lo enchufo. Sé que es el suyo porque tiene una funda que asemeja la portada de un periódico, concretamente el *New York Times*. La funda de Patty es azul clarita, casi transparente. Enciendo el teléfono de Gene, está conectado a la red. No hace falta el pin para navegar, sólo para hacer llamadas. Casi lo hubiera preferido, así habría evitado caer en la tentación. Pero, bueno, los muertos no tienen intimidad.

Entro en el registro de llamadas. Están todas borradas, las realizadas y las entrantes. Voy a los emails. Todos borrados. Tampoco hay contactos en la memoria. Me parece muy extraño. Alguien lo ha borrado todo. Saco el móvil de Gene del cargador y enchufo el de Patty. Lo mismo. Ni llamadas, ni emails, ni contactos.

—¿Qué haces, mamá? —me pregunta Julia desde la puerta.

—Nada, hija, aquí con el móvil —le contesto fingiendo normalidad.

—Con ese móvil también estaba papá el otro día.

—¿Papá?

—Sí. Y con ese otro —me señala el de Gene.

—¡Ah! —me sorprendo.

—¡Mamá! ¿Podemos ir con la abuela Nesta al parque?

—¡Claro, hija! Pero portaos bien.

Hace algún tiempo que me ronda por la cabeza una fantasía sexual bastante novedosa para mí. Siempre me han gustado los hombres de mi edad, aunque, como suele ser normal, cuando era adolescente o muy jovencita me gustaban algo más mayores. Con mi marido mantengo una actividad sexual, creo por lo que cuentan, bastante superior a la media de parejas que ya llevan varios años juntos. Aunque hay alguna racha en la que tenemos menos encuentros, en general él y yo nos gustamos y eso se nota. No renuncio a otras relaciones, pero no suelo encontrar mejor sexo que el que tengo con Óscar. Tampoco es eso lo que busco, simplemente necesito otra piel, otra boca, otra forma de amar, incluso descubrir la torpeza al tocarme de quien no me conoce, de quien no sabe lo que me gusta.

Después de estar con Óscar, tardé mucho en tener orgasmos con otros hombres, salvo con Eugenio. Él también me conoce, aunque como con Óscar no he llegado a entregarme con nadie. Nunca pensé que yo era una persona tan sexual hasta que él me lo descubrió, y eso que ya no era una jovencita cuando le conocí.

No sé si será porque los cuarenta ya están ahí y tengo alguna especie de crisis de esas que suelen tener los hombres que en la madurez se enamoran de alguien veinte años más joven, se separan de su mujer y se compran una moto. Yo no me voy a comprar una moto, ni me voy a separar, ni me he enamorado, pero desde hace unas semanas, y a pesar de todo lo que ha pasado, no se me quita de la cabeza alguien más joven que yo, bastante más.

Hace un mes apareció por el estudio un futbolista acompañado de su padre y de su hermano. El chico se llama Jonathan y tiene veinticinco años. Yo de fútbol no tengo ni idea, no conozco a los futbolistas y nunca había visto entero un partido hasta la final del Mundial que ganó España. Bueno, en realidad ese tampoco lo vi entero, pero la segunda parte y la prórroga sí, hasta que marcó Iniesta y conseguimos eso que a todo el mundo le hizo tan feliz: ganar un mundial de fútbol. Estábamos en casa mi madre, Juanjo, con el que acababa de empezar a salir —fue ese mismo día cuando nos lo presentó aprovechando que íbamos a ver el partido—, Óscar, las niñas y yo. Cuando Iniesta metió el gol, todos saltamos enloquecidos. Óscar se abrazó a mi madre, las niñas se revolcaron por el sofá y hasta Juanjo me besó como si nos conociéramos de toda la vida. Un gol consigue lograr algunas escenas extrañísimas. La prueba de mi escaso interés por este deporte es que yo no conocía a Iniesta. Nadie me creyó mientras brindábamos con champán por la victoria, pero yo lo juro por mis hijas. Me sonaba algo el nombre y su cara, pero cómo sería mi ignorancia que yo pensaba que ese chico jugaba en el Real Madrid.

Conozco a los futbolistas que salen en las revistas y a tres más a los que les hemos construido su casa en Puente, y ahora a Jonathan, el último fichaje de un equipo madrileño recién ascendido a primera división, al parecer un buen delantero, según me he informado.

Jonathan es, por definirlo de una manera simple, un hortera. No parece un caso excepcional entre los futbolistas, a juzgar por lo que veo en la tele y en las revistas y a los que conozco como clientes, que parecen cortados todos por el mismo patrón. La mayoría con sus pendientes de brillantes, esos extrañísimos cortes de pelo, en los peores casos acompañados de mechas, algunos con sus cejas depiladas, sus tatuajes con letras árabes y chinas... Pues todo eso y más lleva puesto en su cuerpo Jonathan, incluidos los tatuajes con letras árabes y chinas, siendo él natural de un pueblo de Granada.

Jonathan, su padre y su hermano pidieron cita en el estudio para encargar un proyecto para construir un chalet en una lujosa urbanización de las afueras de Madrid. Yo, por supuesto, no sabía quién era, aunque, al contrario que en el caso de Iniesta, mi ignorancia en esta ocasión no era tan grave, ya que en el estudio no lo sabía casi nadie. Para conocer a Jonathan tienes que ser un entendido en fútbol y en Puente sólo sabían de él un delineante y un arquitecto, muy aficionados los dos.

Al futbolista, a su padre y a su hermano les recibió una de las comerciales. Atienden la primera visita de los que pueden ser futuros clientes, aunque el de Jonathan, recién llegado a Madrid, no iba a ser el caso. Según me contó Mapi, que así se llama la comercial, en cuanto le habló de los precios de las parcelas en la urbanización madrileña por la que venían preguntando —ni siquiera les llegó a informar de lo que podría costar la construcción de la casa— los tres se echaron a reír pensando que aquello era una broma que les estaba gastando la pobre de Mapi. Al descubrir que aquellas cifras eran reales, Jonathan, su padre y su hermano se despidieron amablemente.

—¡Ya puedes meter muchos goles para que te fiche el Madrid! —le dijo el padre a Jonathan—. ¡Porque si no, vas a vivir tú aquí por los cojones! Y perdone usted, señorita, la expresión —concluyó.

Yo, naturalmente, no había tenido noticia de aquella reunión, una más de las que se mantienen con posibles clientes que en muchos casos no llegan a serlo. Esa mañana llegué al estudio después de una reunión bastante pesada con un concejal de urbanismo del ayuntamiento de un pueblo de la sierra. Iba en el coche, pensando en la reunión, o no sé en qué iría pensando, y no vi justo delante de mí un deportivo rojo que salía del párking. Mi todoterreno se subió literalmente encima del capó del deportivo rojo que conducía Jonathan. Salí sobresaltada, pedí disculpas —que aceptaron—, me dijeron que venían de Puente, les dije que yo era la dueña e intercambié con Jonathan el número de teléfono para que las compañías de seguros se pusieran de acuerdo. Él tenía prisa y yo no sabía ni dónde tenía los papeles del coche.

Han pasado algunas semanas desde que Jonathan y yo nos dimos nuestros números y en este tiempo los móviles nos han dado mucho juego. Casi sin darme cuenta, después de alguna broma por teléfono, nuestras conversaciones han ido subiendo de tono. Al principio fingí sentirme enfadada ante el descaro de Jonathan, pero luego me he dejado seducir por esa manera tan animal de ser que tiene la criatura. Sé que ésta es una historia que no tiene mucho sentido. O sí. Ya veremos. El caso es que en este momento estoy mirando en la pantalla del móvil una de las muchas fotos que Jonathan me ha mandado estos días. Está en calzoncillos. Tiene las piernas musculadas y el torso con unos pectorales y unos abdominales perfectamente definidos. He ampliado la foto del móvil para intentar descubrir si lo que se adivina bajo el calzoncillo es lo que imagino o es un efecto óptico provocado por alguna sombra. Debe de ser esto último, porque si no es un efecto, lo que el futbolista tiene ahí no es algo normal. Tengo casi cuarenta años y él veinticinco. Él está jugando, pero a mí me ha hecho pensar.

La foto en calzoncillos de Jonathan desaparece del móvil al entrar una llamada con número oculto.

—¿Diga?

—¿María Puente, por favor?

—Sí, soy yo.

—Soy Rocío Hurtado, de Skadden.

—¿De dónde?

—Skadden, Arps, Slate, Meagher & Flom, los abogados de Gene Dawson.

—¡Ah, sí! ¿Me llama desde Nueva York?

—No, nosotros somos la delegación de Skadden en España. Estamos en Barcelona. Necesitaríamos concertar una cita con usted para aclarar algunas cuestiones.

—Sí, estaba esperando su llamada para solucionar el tema de la casa. Pero es mejor que se reúnan con Óscar Palau, es mi marido y el director financiero del estudio.

—No, señora, esto no es sólo por la casa.

—¿Ah, no?

—El tema de la casa ya se solucionará. Se trata de una cuestión importante que deberíamos abordar con usted en persona lo antes posible.

Óscar se crio en un barrio de las afueras de Madrid. Era de las afueras entonces, hace casi cuarenta años; ahora podría considerarse casi el centro. Pegado a la M-30, allí vivían gentes humildes, trabajadores de clase media con los recursos justos y sin más expectativas que la de dar estudios a sus hijos, tener una tele, un coche pequeño y veranear en el pueblo un mes al año. Así eran todas las familias de ese barrio madrileño, como las de tantos otros. Y así era también la de Óscar, el menor de tres hermanos, en los primeros años de su infancia. Recuerda a su madre guapa, rubia y con los labios rojos. Una mujer a la que le gustaba arreglarse y que siempre sonreía. Su padre era un hombre guapo también. Por las fotos que he visto de mi suegro cuando era joven, Óscar se parece a él. Trabajaba como mecánico en un taller de coches, con la esperanza de comprarlo junto a su compañero cuando su jefe, el dueño, decidiera jubilarse. A su padre le recuerda regresando a casa después de trabajar y revolcándose con él en la alfombra del cuarto de estar jugando a caballito.

Sus hermanos Chema, el mayor, y Miguel, el mediano, se llevaban sólo un año entre ellos y Óscar, que debió de ser un descuido, era cinco años menor que Miguel. Él los admiraba e imitaba, como todos los pequeños hacen con sus hermanos mayores.

No pasaba nada en aquella familia normal de gente normal en un barrio normal hasta que Chema empezó a coquetear con las drogas. Después de eso, Óscar vio cómo todo se desmoronaba demasiado deprisa, sin tiempo para acostumbrarse al dolor. Chema, primero, y Miguel casi a la vez se convirtieron en heroinómanos. Fueron dos más de los muchos jóvenes a los que la droga destrozó en esa época. Una especie de epidemia de la que ya casi nadie habla, pero que existió con una crudeza insoportable. La madre de Óscar dejó de pintarse los labios, su padre de jugar con él en el cuarto de estar y los hermanos a los que admiraba se convirtieron en dos seres extraños sin que Óscar comprendiera por qué. La casa fue quedándose sin muebles, sus hermanos sin kilos y sus padres sin esperanza.

Un día —el día que todo acabó—, Chema y Miguel entraron en una farmacia para robar la caja. Cada uno iba armado con un palo de escoba partido por la mitad. De un mismo palo sacaron dos armas aquellos muchachos para costearse una dosis de heroína. En la farmacia estaba comprando un policía de paisano. Al parecer, un imbécil con pistola recién ingresado en el cuerpo y con mucha afición a las películas de acción. Todo sucedió muy deprisa. El policía sacó su pistola y pegó un tiro a cada uno. Murieron en el acto. Creo que el policía estuvo un año en la cárcel por haber hecho aquello.

Los padres de Óscar siguieron viviendo algunos años más, con esa mirada ausente de las personas que viven por inercia, sin querer vivir. Óscar perdió a sus hermanos, pero en realidad se quedó solo cuando todavía no había cumplido los quince años. Aquel chaval es hoy mi marido. Sus padres murieron poco antes de conocerle yo. Primero ella de un cáncer y luego él, según Óscar, de pena. Posiblemente lleve razón en que ése fuera el motivo, aunque no sea muy científico. No conozco a nadie como Óscar, ni siquiera en las novelas suele haber personajes como él. Su historia de superación para salir de aquel pozo, la manera de perder la rabia y aprender a volver a sonreír como el que vuelve a aprender a andar y convertirse en la persona que es hoy hace que su biografía parezca salida de la mente de un escritor o de un cineasta. Yo le quiero mucho, claro, pero le admiro por encima de todas las cosas.

—Oye, Óscar, ¿tú has tocado los móviles de los americanos?

    —No. ¿Qué móviles?

    —Los de Gene y Patty.

    —Yo no los he tocado. ¿Y tú?

    —Yo sí.

    —¡Ya te vale! Eso no se hace.

    —Llevas razón, pero tenía curiosidad.

    —¿Y qué querías saber?

    —Nada en especial.

    —¿Y has descubierto algo?

—No. Tenían todos los datos borrados.

—¡Qué raro!

—Eso me parece a mí. Alguien se ha molestado en borrar las llamadas, los contactos, los emails. Todo.

—En fin, una pena. A mí ella me caía muy bien.

—A mí me fascinaba él.

—Ya lo sé, pero a mí ella me caía mejor.

—Por cierto, me han llamado sus abogados.

—¿Los de Nueva York?

—Sí, pero tienen una delegación en Barcelona. Quieren verme.

—¿Y por qué no me lo habías dicho?

—Te lo estoy diciendo ahora.

—¿Para qué quieren verte?

—No tengo ni idea.

—Si es para cerrar las cuentas de la casa, debería ir yo.

—Eso le dije a la abogada que llamó, pero no sé por qué tienen que verme a mí.

—¿Cómo se llamaba?

—¿Quién?

—La abogada.

—No me acuerdo de su nombre. Lo tengo por ahí apuntado.

—Pues míralo y me lo dices. Si quieres hablo yo con ella a ver qué quieren.

—No te preocupes. Yo quedo con ella y luego te cuento.

He repetido mil veces el dibujo inacabado que empecé en el restaurante de la playa de la Malvarrosa. Esa parte indescifrable es en sí misma un dibujo. Así, como está, es bonito, pero yo sé que todavía no es lo que tiene que ser.

Mi madre dice que a ella le suena, que es algo que ha visto en alguna parte, pero que no se acuerda de lo que es.

—¡Pues vaya vidente estás hecha! —bromeo.

—¡Tú ríete! —se defiende—. ¿Sabes ya algo de tu viaje?

Mi madre está empeñada en que dentro de pocos días me voy a ir de viaje. Asegura que ha tenido un presentimiento.

—Mamá —la corrijo—, la semana que viene seguramente iré a Barcelona y tú no has tenido ningún presentimiento, te lo conté yo el otro día.

—El viaje no va a ser a Barcelona, será mucho más lejos.

—¡Sí, claro, al más allá!

—No bromees con esas cosas, que no tiene ninguna gracia.

Ahora está muy crecida con lo de sus poderes adivinatorios, después de haberme llamado para comunicarme un mal presentimiento minutos antes de que me enterara de que Gene y Patty se habían estrellado contra aquel camión.

Yo creo que la casualidad es algo infravalorado. A la gente le parece que la casualidad es una explicación con poca entidad e intenta buscar siempre otras causas lógicas a un suceso. Sin embargo, a mí me parece que la casualidad explica gran parte de todo cuanto nos sucede. Mi madre no tiene poderes, aunque sea cierto que me llamó minutos antes del accidente para decirme que había tenido un mal presagio. Ese accidente y su presentimiento fueron simplemente una casualidad.

Mi vida tiene cierta coherencia estética. Tiene que ver con mi profesión y con mi manera de ser, que cuadran perfectamente. Mis aficiones son las normales en una mujer como yo. Me entretienen las buenas novelas sin ser una lectora empedernida, voy al gimnasio y salgo a correr un par de veces a la semana para mantenerme, la música me gusta bastante y escucho casi de todo, pop y rock principalmente. No puedo con el rap, ni con el reggaeton. Puede gustarme desde cualquier grupo de moda español hasta clásicos como los Beatles o grupos más actuales como The Killers, Coldplay... Más o menos como a todo el mundo.

Me gusta el arte. Y, además, de arte sé bastante, aunque nunca se llega a saber lo suficiente. También me interesa la moda, estoy al corriente de las tendencias y compro mucha más ropa de la que necesito. Visto siempre adecuada para cada ocasión, pero nunca falta un punto de atrevimiento en mi estilo. También soy coherente con los hombres que me gustan. Todos han de tener clase, buena conversación y, claro, deben ser preferiblemente guapos. En definitiva, mis gustos son bastante previsibles. Lo han sido desde que era pequeña. Y ahora, a punto de cumplir los cuarenta, toda esa coherencia estética se ha evaporado de pronto y ando revuelta mirando las fotos de un chico veinteañero medio desnudo con un pendiente de brillantes en cada oreja y mechas rubias en el pelo.

Cuando Jonathan quiso ligar conmigo por teléfono la primera vez no me ofendí porque yo no me ofendo por esas cosas y porque su descaro me provocó, sinceramente, un poco de vergüenza ajena. Fui educada con él y le invité a que desistiera. Yo no soy una mujer de esas que se liga en una discoteca gracias a su deportivo rojo y a ser futbolista. Por no darle muchas explicaciones que pudieran dolerle se lo resumí con un simple «no eres mi tipo».

—¡Bueno, ya veremos! —contestó con un acento granadino muy cerrado.

—¡Nene, no hay nada que ver! —le dije muy segura.

Me llamó más veces, claro. Su táctica de conquista no era muy convencional, desde luego. Fue directamente al grano de una manera muy novedosa para mí, más acostumbrada a que los hombres me seduzcan a través de una conversación más elevada intelectualmente. Me hizo gracia y por eso, aunque le decía que dejara de insistir, fui siendo cada vez menos contundente en mi negativa. Reconozco que esas barbaridades que me soltaba por el móvil me estaban empezando a gustar, a pesar de que me ruborizaba bastante que eso me estuviera pasando.

De las palabras pasó a las fotos. Las primeras me despertaron curiosidad, pero cuando fueron llegando las siguientes ya me provocaban otras sensaciones más incontrolables. Empecé a pensar en él a solas y mirando sus fotos le he imaginado ya muchas noches. A veces, tengo que parar de dibujar e ir a calmar mi ansiedad. Me parece increíble que haya llegado a esto, me da vergüenza verme así en el baño de la empresa que dirijo, pero no me puedo controlar. Jonathan tiene un cuerpo perfecto de deportista. Es muy joven. Y muy guarro. Podría rebajar el calificativo a primitivo, que lo es, y a básico, que también, pero el que más se ajusta para definir sus propuestas sexuales es el de guarro. Y qué le voy a hacer si de repente me encanta.

La última foto suya que tengo en el móvil me ha provocado una revolución debajo del ombligo. Una especie de corriente eléctrica que se distribuye por toda mi anatomía de manera desordenada. Jonathan aparece completamente desnudo, con una mano apoyada en la cintura y la otra tapando parte de su pene. Y no sé cuánta parte, pero sólo con la parte que se ve ya me parece más que suficiente. Definitivamente he perdido esta batalla, me ha ganado este hortera granadino y lo asumo. Tengo que verle, quedar con él y rendirme.

Ahora me está esperando en una habitación del hotel Eurobuilding. Me he tomado un *gin-tonic* antes de subir a la habitación para relajarme y creo que ha sido peor porque la ginebra me ha excitado aún más.

Jonathan me abre la puerta cubierto sólo con una toalla no demasiado grande.

—¡Hola, señora arquitecta!

Sin cerrar la puerta del todo me coge por la cintura, junta mi cuerpo con el suyo y me besa antes de que yo pueda ni tan siquiera devolverle el saludo. Mientras me besa se me van de súbito todos los nervios que tenía antes de llamar a la puerta. No separa sus labios de los míos y yo no puedo contener una especie de jadeo cuando noto de repente a la altura de mi vientre cómo ha crecido bajo la toalla la excitación del futbolista granadino. Yo, tan culta, tan sofisticada a ratos y tan sutil a veces, al sentir su dureza contra mi cuerpo sólo acierto a decir un simple «¡jooooderrrr!».

Suspiro fuerte intentando que la excitación no me haga perder los papeles tan pronto y así mantener un poco la compostura. Para de besarme sin yo querer y de la mano me lleva hacia dentro. Me coloca enfrente de la cama y él se sitúa detrás de mí. Desde mi espalda me desabrocha la blusa, después la falda, que resbala por mis piernas hasta el suelo. Después las medias y el sujetador. Después me deja completamente desnuda.

Estoy temblando de excitación y quiero echarme en la cama, pero Jonathan me lo impide. Sigue detrás de mí. Me toca todo el cuerpo con cierta violencia y sin mucho orden. No es especialmente hábil, pero no me importa. Incluso me gusta. Le busco con mis manos para tocarle. Cuando lo hago y mi tacto la descubre, otra vez me quedo sin palabras y de mi boca vuelve a salir el instintivo «¡jooooderrrr!». Pone una mano sobre mi espalda y me empuja hacia delante. Me sube en la cama, al borde, a cuatro patas. Él se mantiene de pie, detrás de mí. Me coge por la cintura, colocándome a la altura y la distancia precisas y de repente la siento. Suspiro fuerte y grito cuando la noto entrar en mí. Del todo. Cierro los ojos, aprieto las sábanas con mis manos y de nuevo «¡jooooderrrr!», ahora tres veces seguidas. Le pido que siga y que no pare. Me dice que lo que yo quiera con una sorprendente seguridad. Y es verdad que no para y es verdad que yo no puedo parar. Con lo que a mí me ha costado tantas veces acabar plenamente con hombres que no fueran Óscar y ahora que yo creo que no han pasado ni dos minutos ya no me puedo aguantar. Ya lo creo que no me aguanto y vuelvo a mi palabra favorita de esta mañana que repito sin parar no sé cuántas veces mientras me desplomo sobre la cama. Él sigue detrás de mí y siento cómo termina muy poco después. Yo todavía tumbada boca abajo y él, encima de mí, tratamos de recuperar el ritmo normal de nuestra respiración.

—¿Te ha gustado?

Me entra la risa al escuchar la pregunta.

—¿De qué te ríes?

—De nada. Es que eso no se pregunta.

—¿Ah, no?

—No, hombre, no.

—¿Y por qué no?

—Pues no sé por qué no, pero eso no se pregunta.

—Me la suda. ¿Te ha gustado o no?

—Ha sido diferente.

—¿El qué?

—No sé. A lo mejor soy yo, que contigo soy diferente.

Ahora es a él al que le entra la risa.

—¡Qué rara eres, coño! —dice sin parar de reír—. Yo es que no entiendo lo que dices.

—Da igual. Son cosas mías.

—Claro, claro. Oye, María, ¿te importaría marcharte ya? Es que tengo prisa.

Ninguno de los hombres que conozco podría decir algo así, aunque lo estuviera deseando, y yo tampoco se lo consentiría. Con Jonathan es diferente porque con Jonathan, aunque él no lo entienda, la diferente soy yo.

En Barcelona está diluviando y hay huelga de taxis. Cuando veo todavía desde dentro de la estación la cola que hay para coger alguno de los que se han establecido como servicios mínimos, decido coger el metro para llegar a la cita que tengo con Rocío Hurtado.

No me gusta el metro y no lo cojo salvo que sea completamente necesario. No me gusta porque me atracaron cuando era una adolescente y creo que aún no he superado el miedo que pasé aquel día. Iba con una amiga al cine y, haciendo un trasbordo por un pasillo muy largo de no recuerdo qué estación, al doblar una esquina dos chicos nos pararon y nos enseñaron una navaja. Pasaba mucha gente, pero creo que nadie se dio cuenta y, si alguien lo hizo, supongo que prefirió no meterse en líos.

Los atracadores lo hicieron bien. Nos pegaron a la pared y se colocaron muy cerca de nosotras, de espaldas a la gente que pasaba ajena a todo. Los nervios hicieron que me paralizara completamente. Fue mi amiga la que después de dar todo lo que ella llevaba tuvo que coger mi bolso y sacar el monedero para satisfacer a los atracadores. Yo no sé siquiera si fui capaz de pestañear.

—Qué buena está la calladita, ¿no? —dijo uno de ellos refiriéndose a mí mientras me retiraba el pelo de la cara. Recuerdo su mano muy áspera, casi cortante.

—¡Déjala, tío! —le advirtió el otro atracador—. Ya tenemos lo que queremos.

—¿Qué pasa? ¿Que eres maricón? —le contestó mientras comenzaba a tocarme las tetas—. ¿No ves el polvazo que tiene esta zorrita?

—¡Déjala, por favor! —suplicó mi amiga.

No podía moverme ni gritar. Estaba completamente paralizada por el miedo. El atracador metió su mano entre mis piernas y apretó fuerte hacia arriba.

—¡Tronco, te estás pasando! —le volvió a advertir el amigo separándole de mí de un empujón.

Al final, los dos se marcharon discutiendo y nos dejaron en paz. Tardé en darme cuenta de que mi pantalón vaquero estaba completamente empapado del pis que me había hecho encima.

Aquel suceso, pensándolo años más tarde, creo que supuso para mí un poco la pérdida de la inocencia. Hasta ese momento a mí nunca me había pasado nada malo. Nadie me había hecho daño, ni siquiera lo había intentado. Ese día en el metro descubrí que existía otro mundo en el que me podían hacer daño. Me entró miedo por lo que me pasó, pero creo que, pensándolo después pasados los años, lo que realmente me da miedo ahora fue lo quieta que me quedé.

La secretaria de Rocío Hurtado me hace esperar en una sala de juntas. Es un bufete pequeño, lo cierto es que yo esperaba otra cosa. Se trata de un piso más bien antiguo, con el suelo de parquet típico de los años setenta, ese de las tablitas pequeñas colocadas en vertical y horizontal que forman cuadrados de diez por diez. Los muebles son antiguos, pero sin ninguna solera, las puertas de madera brillante color cerezo con cristales traslúcidos en tono amarillo y las paredes con gotelé color crema clarito. Los cuadros son también un espanto. Además, hay poca actividad. Sólo he visto a la secretaria que me ha abierto la puerta y me ha traído a esta sala.

—¿María Puente? ¡Encantada! —me saluda efusiva desde la puerta una mujer muy guapa mientras me levanto para saludarla—. ¡Soy Rocío Hurtado! ¿Qué tal el viaje?

—Bien, bien. Con el Ave, ya se sabe, una maravilla.

—Lástima esta lluvia.

—Sí, la verdad, es un incordio.

—Lo que pasa es que viene muy bien para el campo, dicen.

—Sí, eso dicen.

—Y para las alergias.

—También.

—¿Ha tenido problemas con la huelga de taxis para llegar hasta aquí?

—He venido en metro.

—Ah, pues muy bien. El metro a veces es lo más rápido.

—Sí, mucho.

—¿Te importa que nos tuteemos?

—No, yo lo prefiero.

Este tipo de presentaciones previas a las reuniones parecen siempre absurdas, pero son imprescindibles. Es una especie de pacto en el que se asume que durante un par de minutos se dicen tonterías para relajarse. No soporto a la gente que alarga este momento insustancial más de lo debido, pero Rocío Hurtado no es de esas personas, afortunadamente.

—María —me dice—, tengo noticias muy importantes para ti.

Rocío es una mujer muy guapa, tanto que hasta debe esforzarse para disimularlo y no parecer una modelo. Morena, de pelo casi negro, ojos grandes y claros y una boca preciosa. Además, tiene un lunar en la mejilla que termina de adornar su cara. De esos lunares perfectos que dan personalidad. Es alta y con buen cuerpo. Estilo tiene, se le nota en su manera de moverse.

Pasará por poco de los treinta años, que son muchos menos de los que me imaginaba que tenía cuando hablamos por teléfono. Debe de ser una de estas niñas brillantes en la carrera que no ha tardado mucho en abrirse camino en su profesión. Tiene pinta de ser brillante y, así, a simple vista, diría que, a pesar de ser ella morena y más guapa que yo, tenemos cierto parecido. Además, da la casualidad de que las dos vamos vestidas de forma similar: vaqueros, una blusa negra y un zapato de medio tacón, también negro.

—Puente está a punto de ir a la quiebra —continúa Rocío.

—¿Cómo dices?

—Lo que has oído. El estudio tiene una deuda bancaria que hay que pagar de inmediato.

—Esto es una broma, ¿no? —acierto a decir—. Además, ¿tú no eras del bufete de abogados de Gene y Patty?

—Sí. De Skadden, Arps, Slate, Meag...

—¡De como coño se llamen! —interrumpo nerviosa—. ¿Qué sabes tú de Puente?

—Todo lo que hay que saber.

—¿Ah, sí? ¿Y de cuánto se supone que es esa deuda enorme?

—De cuatro millones de euros.

—¡Tú estás loca! —digo, forzando la risa.

—María, tú no sabes nada de las finanzas de tu empresa.

—De eso se ocupa siempre Óscar. Es mi marido.

—Sé perfectamente quién es Óscar —asegura.

—¿Y por qué?

—Gene se encargó de investigarle.

—¿Gene? ¿Investigar a Óscar? —digo sin salir de mi sorpresa, muy alterada.

—¡Tranquilízate! —me dice cariñosamente—. No tienes de qué preocuparte. Vas a disponer muy pronto de ese dinero.

—No entiendo nada —reconozco.

—Gene no era tu cliente por casualidad.

—Claro que no. Me eligió porque le gustaba mi trabajo.

—Te eligió por otro motivo.

—¿Qué motivo?

—Tranquila, no te irás de aquí sin saberlo.

En el Ave de regreso a Madrid están poniendo una película absurda. Una comedia romántica para adolescentes cuyo sentido del humor se basa principalmente en caídas, golpes, eructos, pedos y malentendidos entre los protagonistas. Todo muy previsible, porque antes de llegar a Lleida ya sé que el protagonista va a acabar con la morena, que es la buena de la peli. La rubia, como casi siempre pasa en las comedias románticas americanas, suele ser más superficial e interesada. En el vagón de preferente en el que voy la mayoría de asientos están vacíos. Algunas personas duermen, otras leen y otras escuchan la película con los auriculares.

—¿Se encuentra usted bien? —me pregunta una azafata.

—Sí, no se preocupe —contesto secándome las lágrimas.

Me doy cuenta de que mi llanto no ha pasado desapercibido para los pasajeros que ni duermen ni ven la película. Es normal, porque yo hago mucho ruido cuando lloro. El asiento de al lado va vacío, pero en el de la otra ventanilla de mi misma fila va un señor mayor que me ofrece un paquete de kleenex sin abrir.

—¡Muchas gracias! —le digo mientras me sorbo los mocos.

—Llorar es bueno.

—Yo no quiero llorar.

—Nadie quiere, pero a veces no queda más remedio.

La carcajada de un chico que está viendo la película se oye en todo el vagón.

—¡Mire ése qué contento está! —dice el señor por decir.

Yo no puedo contenerme y lloro aún con más fuerza. Tengo la cara empapada en lágrimas y no doy abasto con los pañuelos. El señor mayor me mira sin saber qué decir, así que opta por no decir nada.

—¡Lo siento! —me disculpo—. Es que no puedo parar.

—Pues llore, llore. Y desahóguese.

—Es que me acabo de enterar de una cosa que me entristece mucho.

El señor vuelve a quedarse callado, supongo que por no ser impertinente. Cuando me ve un poco más calmada se dirige a mí.

—¿Cómo se llama, señorita?

—¡María! María Puente. ¿Y usted?

—Gabriel. Gabriel Medina.

—Encantada, Gabriel.

El señor debe de tener unos setenta años, conserva mucho pelo, casi completamente blanco. Va vestido con traje azul, camisa blanca, corbata verde y zapatos marrones de cordones. Es elegante y ya me ha demostrado que bastante educado. Una azafata me pregunta si quiero tomar algo y le pido un té. Mi compañero de fila pide lo mismo.

—En el tren el té es lo único que se puede tomar —dice—, porque el café está asqueroso.

—Es verdad.

—¿Es tan importante eso por lo que llora? —me pregunta.

—Es que lloro por muchas cosas, no sólo por una.

En la película unos jóvenes están jugando encima de unas camas a una especie de guerra de almohadas. Creo que no hay diálogos, se les ve reír, felices, mientras se golpean con las almohadas, que empiezan a romperse inundándolo todo de plumas blancas. Ellos siguen saltando y riendo sobre las camas perdidos entre tanta pluma.

—¡Siempre hacen la misma gilipollez en todas las películas! —afirma Gabriel mirando a la pantalla.

—¿A qué se refiere?

—A la escenita de las almohadas. Siempre se rompen y lo llenan todo de plumas.

—¡Es verdad! —digo cayendo en la cuenta.

—Menuda tontería. Tú le puedes arrancar la cabeza a alguien a almohadillazos y no sale ni una pluma...

Me hace gracia su explicación.

—En una almohada no caben tantas plumas, pero si fuera verdad —continúa—, imagínese el lío. Los protagonistas deberían preocuparse, porque luego a ver quién es el guapo que recoge la habitación.

Tiene gracia la teoría del señor y más gracia aún su forma de contarla. Me hace reír.

—¿Está usted un poco mejor?

—No sé qué decirle.

—Seguro que no es tan grave, mujer.

—Sí lo es.

—De todo se sale, María. Se lo digo yo que ya soy viejo.

Me gusta que me llame por mi nombre. A veces un completo desconocido puede ser tu mejor confidente. Otras, como ahora, el único posible.

—Sí, pero hay cosas que no tienen remedio.

—Ya sabe que todo tiene remedio menos la muerte —me contesta.

—Por eso lo digo.

—¿Es que se le ha muerto a usted alguien? —me pregunta con tono muy serio.

—Sí. Se ha muerto mi padre.

—¡Cuánto lo siento! —me consuela.

—Y yo no lo sabía.

74

—¿No sabía usted que su padre había muerto?

—No. Lo que no sabía es que el que había muerto era mi padre.

Gene Dawson vino a España a principios de los años setenta. Era un joven artista neoyorquino que quería conocer la cultura del país en el que había nacido su abuelo. En Estados Unidos había ganado en la escuela primaria varios certámenes de pintura, hasta el punto de que se le consideraba una especie de niño prodigio. Estaba dotado para cualquier disciplina artística, especialmente para el dibujo, en la que era un virtuoso. Con apenas quince años se interesó por otra manera de concebir el arte alejada de aquella perfección casi fotográfica con la que era capaz de plasmar cuanto veía y en ese momento comenzó a trabajar más la escultura.

Su padre, que era un señor muy rico y muy culto, le subvencionó con apenas veinte años un viaje por Europa que finalizaría en España. Cuando Gene aterrizó en Madrid no conocía a nadie, pero hablaba bien el español y además tenía dinero. Su intención era quedarse en Madrid una semana y después ir a Sevilla y desde allí conocer Andalucía, una tierra que le había llamado la atención desde niño.

Gene se hospedó en el centro de Madrid, en un hotel de la plaza de Santa Ana. Los tres primeros días había repartido su tiempo durmiendo por las mañanas, paseando por las tardes y saliendo por las noches. Al cuarto fue a conocer el parque del Retiro e hizo lo que todo el mundo hace en el Retiro: pasear, montarse en barca y tomarse una cerveza en uno de los quioscos que hay justo enfrente del estanque.

En la mesa de al lado tres chicas se reían con esa estupidez nerviosa con la que se ríen las niñas bien cuando ven algo que les atrae tanto como les asusta. Ese algo era Gene, un tipo de pelo largo y una camisa de lunares al que se le notaba demasiado que no era de aquí. Las chicas bromearon con él y él con ellas hasta que le invitaron a sentarse en su mesa. Gene les habló de Nueva York, de arte, de música, de su interés por España, de literatura... Les habló como nadie había hablado a esas chicas bien de Madrid. Era un seductor y el público formado por las tres jovencitas impresionables tampoco podía considerarse demasiado duro de conquistar.

De las tres, la más guapa era una chica rubia, delgada, con una sonrisa inocente que la hacía parecer incluso más joven de lo que era. Ernesta, en ese momento, acababa de cumplir diecinueve años y, aunque ya le habían sobrado ganas, nunca había estado con ningún hombre. Tan sólo había besado a un chico en la boca hacía dos años, pero aquellos ni fueron besos de verdad ni a aquel adolescente se le podía considerar un hombre.

Las amigas de Ernesta se marcharon a sus casas, pero ella se quedó. Sus amigas insistieron en que las acompañara, porque quedarse con aquel chico era arriesgado sin conocerle de nada y, aparte del peligro, eso era propio de una cualquiera y no de una chica decente como ella. Precisamente fue ése el motivo por el que Ernesta se quedó con Gene, porque estaba muy harta de ser una chica decente. Se justificó contándole a sus amigas primero y más tarde a solas a Gene que se quedaba porque la noche anterior había soñado que se iba a enamorar de un desconocido. Y no podía ella contradecir ese sueño premonitorio.

Esa misma tarde, en el Retiro, Gene besó a Ernesta. La besó como ella había soñado que se besaba. Justo así. Eso era besar, ése sí era un hombre y ella ya era una mujer enamorada. Aquellos besos fueron suficientes para que esa misma noche Ernesta volviera a casa en ese estado en el que sólo se está la primera vez que sientes que te has enamorado, cuando todos los seres humanos creemos, uno tras otro, que acabamos de descubrir lo que realmente es el amor.

Gene le propuso a Ernesta dos días después que se fuera con él a Sevilla. Aquello era una locura, un lío monumental, pues si aceptaba, se enfrentaría a su padre y, lo más grave, esa aventura la marcaría para siempre. Las cosas hace cuarenta años en España eran así y una muchacha inocente que dejara de serlo, además con un desconocido, tendría difícil casarse de esa manera que Dios manda, según algunos.

Ernesta se fue a su habitación como cualquier otra noche, dándole un beso a su padre y otro a la mujer de éste. En la habitación hizo una maleta pequeña con lo imprescindible porque los nervios, el miedo y la emoción no la dejaban pensar. Esperó a que todos se durmieran y se fue a Sevilla con Gene, que la esperaba con un dos caballos en el portal de su casa.

Viajaron toda la noche y llegaron de madrugada. Gene pagó esa misma mañana por adelantado un mes de alquiler en una buhardilla con vistas a la Giralda. Eran treinta metros con un sofá, una cama, un baño pequeño y un balcón. Allí, en aquella habitación, mi madre amó a Gene de esa forma en que sólo puede amarse la primera vez. Que no es ni mejor ni peor que las siguientes, pero que ya no puede volver a ser como esa primera vez.

Gene lo pasó bien con ella, claro, pero para él no fue lo mismo. Ernesta aprendió a estar desnuda frente a un hombre y frente a sí misma, a no avergonzarse de su deseo, a ser consciente de cada momento de placer. No eran ésas cosas fáciles para muchas mujeres hace cuarenta años. Gene y Ernesta vivieron apenas un mes en aquella buhardilla hasta que él se cansó y decidió regresar a Nueva York a seguir su vida de artista. Ernesta volvió a Madrid y semanas más tarde se enteró de que estaba embarazada de mí.

Óscar está desolado. Me dice que ese negocio ha sido el mayor error que ha cometido en su vida. A través de un directivo del banco con el que Puente trabaja habitual-mente, se enteró de que por unos terrenos del norte de Madrid iba a pasar el metro, algo que duplicaría su va-lor. Eso sí, había que comprarlos de manera inmediata. Fue ese mismo directivo del banco el que gestionó el crédito de cuatro millones de euros a Puente saltándose todos los controles a cambio de una pequeña parte del negocio. Óscar accedió creyendo que sería una manera fácil de ganar dinero para el estudio y aceptó.

La operación se hizo en un par de días, muy deprisa, tal y como le contaron a Óscar que había que hacer este tipo de cosas. Finalmente, el dinero que concedieron a Puente mediante un crédito se ingresó en una cuenta en un banco alemán y a Óscar le entregaron las escrituras. Todo fue una estafa. Los terrenos por los que Puente pagó cuatro millones de euros no valen ni una décima parte, por allí no va a pasar jamás el metro y ahora con esta crisis es imposible que pueda construirse nada. Óscar me cuenta que el directivo del banco fue expedientado y despedido, pero el préstamo de cuatro millones de euros sigue pendiente.

—¡Lo siento, María, me equivoqué! —se justifica mi marido.

—¿Y por qué no me lo contaste?

—No quería preocuparte.

—Podías haber pensado en eso antes de meterte en ese negocio de mierda.

—Ya te he dicho que lo siento, no sé qué más puedo hacer —dice avergonzado.

—Y, además —continúo—, me he tenido que enterar por los abogados de Gene.

—Yo no tenía ni idea de que Gene lo sabía.

—Gene lo sabía todo.

Todo lo que ha ocurrido ha sido como un chiste macabro de esos de «tengo una noticia mala y otra buena...». La mala es que estás en la ruina, la buena es que has heredado; la buena es que sabes quién es tu padre, la mala es que se ha muerto.

Hay muertes que vienen bien. Me horroriza pensar eso, pero llevo días haciéndolo. Si no es por la herencia de Gene, creo que esa deuda habría llevado a Puente a la quiebra. En el fondo, todo ha sido una casualidad, otra más, la última de mi vida. Qué voy a esperar si mi vida entera ha sido una casualidad desde que vine al mundo en el asiento trasero de un Dodge.

Eugenio está en Madrid. Hemos hablado mucho por teléfono, casi a diario, pero no nos hemos visto en todo este tiempo. Está guapo, la verdad.

—Con todo lo que ha pasado estos días, ha habido momentos —le digo— en los que te he echado de menos.

Se lo reconozco abiertamente mientras brindamos en esta cena en la que volvemos a vernos después de muchas semanas.

—Te noto rara, María —me confiesa.

—Un poco. Todo esto me ha afectado mucho.

—¿Has hablado ya con tu madre?

—No mucho. Quiero que se dé cuenta de lo enfadada que estoy. Se ha justificado diciéndome que quería habérmelo contado, pero que Gene le pidió que no lo hiciera hasta que pasara algún tiempo.

—¿Y a qué estaba esperando?

—Al parecer, quería conocerme sin que yo supiera que él era mi padre.

—Le debiste de gustar para que te haya dejado esa pasta en su testamento.

—Y ya ves para lo único que ha servido. Para pagar esa maldita deuda.

—María, no puedo creerme que no supieras que Óscar había comprado esos terrenos.

—Ya sabes que es él el que toma esas decisiones.

—Pero siempre te las ha consultado, ¿no?

—Sí, pero esta vez no lo hizo.

—Me parece bien —insiste— que Óscar tenga poderes tuyos para comprar y vender, pero qué menos que consultarte algo así.

—¡Venga! —interrumpo su discurso—. Cambiemos de tema. Quiero que esta noche hablemos de otras cosas. ¿Sabes que estás muy guapo?

—Muchas gracias, tú también.

—¿Qué tal Valencia?

—Pues Valencia muy bonita, como siempre. Con su calidad de vida y su mar y esas cosas.

—¿Y esa ironía?

—Joder, María, no se puede cambiar de tema cuando algo no te gusta. Hay que afrontar las cosas.

—Es que esta noche no quiero pensar en problemas.

—Tú no quieres pensar en problemas ni esta noche ni nunca.

—¿Por qué dices eso?

—Porque no puedo entender que con esta crisis Óscar compre unos terrenos por cuatro millones de euros y ni siquiera te consulte.

—Él lo hizo porque creyó que iba a ser un buen negocio.

Eugenio no me contesta, se limita a poner cara de incredulidad. Yo me siento un poco avergonzada, así que opto por darle la razón.

—¡Está bien! Llevas razón, pero ¿qué puedo hacer? —pregunto.

—No lo sé. Enfadarte por lo menos. Me saca de quicio que no lo hagas.

—Afortunadamente, he heredado y podremos pagar la deuda y seguir igual.

—De eso se trata, ¿no? De seguir igual.

—¿De qué sirve lamentarse? Voy a heredar y puedo pagar la deuda.

—¡Qué casualidad! —ironiza.

—Sí, eso he pensado yo estos días. Mi vida está llena de casualidades. Es una más.

—Claro. Debes cuatro millones y heredas cuatro millones. Sí que es una casualidad.

—Eugenio, ¿estás intentando decirme algo?

—Sí. Que las casualidades no existen.

Todos estos días he pensado mucho en mi padre. En mi padre de verdad, no en Gene. Mi padre es Antonio, el que ha estado conmigo desde el mismo instante en el que nací. Aunque fuera por casualidad, porque se diga lo que se diga, la casualidad explica muchas cosas y era él y no otro el que estaba aparcado en segunda fila en el portal de mi madre aquella mañana que yo vine al mundo.

Gracias a él y a su ayuda económica pude abrir Puente. Siempre ha estado pendiente de mí, de lo que hacía. Al principio, era él quien me ayudaba a llevar financieramente el estudio, aunque en ese momento se trataba de una empresa mucho más pequeña de lo que es ahora. Luego me recomendó a Óscar y él se distanció, aunque Óscar le mantenía al tanto de cómo iba todo. Esta última operación, tristemente, tampoco la consultó con él. Estoy segura de que, de haberlo hecho, mi padre le hubiera quitado esa idea de la cabeza.

Antonio es un hombre bajito, delgado y con poco pelo. No ahora, que ya tiene más de sesenta años, sino que nunca ha tenido mucho pelo, yo, al menos, siempre le recuerdo igual. No es ni feo ni guapo, es uno de esos hombres normales que físicamente pasan desapercibidos en cualquier lugar. Yo le quiero mucho y él a mí más, suponiendo que el amor pueda medirse en cantidades. Digo que me quiere más porque él sería capaz de sacrificarse más por mí que yo por él. Ésa es mi forma de medirlo y en eso no tengo dudas. Antonio tiene virtudes y defectos, claro. Entre las primeras su bondad, generosidad, exquisitos modales y una gran cultura; y entre sus defectos,

84

destaca por encima de todo su escaso sentido del humor. No me refiero a que sea un hombre huraño ni de ésos a los que les fastidia que la gente se lo pase bien. Qué va. La cuestión es que Antonio no capta con facilidad la ironía y hay que tener cuidado porque él es muy de tomarse todo al pie de la letra. Luego, al rato, al rato largo, lo soluciona con un «¡ah, que era broma!», y ya se ríe.

Mi madre y él siempre se han respetado, que también es una forma de quererse, a la larga quizá sea la mejor. Son dos personas muy distintas en todo. Te das cuenta desde el mismo instante en que los ves juntos. Mi madre es una mujer muy sexy, siempre lo ha sido y aún hoy conserva ese atractivo que descoloca a los hombres cuando están con ella más de dos minutos. Ernesta también es elegante, de esas que gustan sin proponérselo, porque basta con verla un instante para no querer dejar de mirarla. Ella siempre ha puesto muy celosas a las mujeres de sus amigos. Sin proponérselo, pero aquellas mujeres tenían motivos para sentir celos.

Antonio, por el contrario, no es un hombre que despierte más interés que el de su conversación pausada y llena de referencias culturales. Sabe mucho de historia, de arte, de literatura, de filosofía, de música... Lástima que tenga tantos conocimientos como escasa pasión. Puede saber, de hecho sabe, toda la obra y vida de Picasso o de Mozart, conocer en profundidad a Platón o haber estudiado con esmero a Nietzsche, pero luego no parece capaz de sentir la belleza de esa música, la profundidad de un pensamiento o el alma de un cuadro después de analizarlo. Eso, la verdad, ahora que le estoy describiendo, es un poco desesperante.

Mi madre no. Mi madre es pasión, pura vida; por donde pasa, sin pretenderlo, irradia esplendor. Físicamente nos parecemos, lo dice todo el mundo. Las dos somos rubias. Todo lo rubias que podemos ser las españolas, es decir, castañas claras para un nórdico. De niñas muy claritas, pero de mayores hay que poner unas mechas para seguir conservando la raíz del mismo color. Cualquier rubia me entenderá. Las diferencias más notables entre mi madre y yo son que yo soy un poco más delgada y ella un poco más guapa. Su belleza es contundente, la ves y ves una mujer guapa, indiscutiblemente. Mi belleza no es tan unánime, requiere más esfuerzo y tengo que arreglarme un mínimo para estar guapa. Tengo algunos días en los que, sin ser fea, soy simplemente una chica normal.

Otra diferencia es que ella tiene más pecho que yo. Yo apenas tengo una ochenta, algo que me acomplejó cuando era joven y me hizo plantearme pasar por el quirófano para ponerme unas prótesis de silicona, a pesar de que aquello no era muy coherente con el feminismo radical que defendía con más convicción en las formas que en el fondo. Menos mal que no me operé porque ahora estoy encantada con mi pecho y para algún escote que lo precise hay unos sujetadores con relleno maravillosos.

Mi madre y Antonio estuvieron juntos más de treinta años hasta que se separaron, hará unos cinco. Se han respetado y se han querido mucho, de eso estoy segura. Supongo que una vez que cerraban la puerta de su habitación no habría demasiado ruido dentro, pero la pasión no era precisamente la base de esa relación. Me consta que Ernesta ha tenido otras alternativas. De Antonio no tengo ni idea, pero supongo que sí. O no. De Antonio no lo sé muy bien.

Mi madre no ha parado de llamarme, pero no quiero hablar con ella todavía. Quiero que se dé cuenta de que me ha enfadado muchísimo que no me contara quién era Gene. Hoy tengo seis llamadas perdidas de su número y su nombre vuelve a aparecer en la pantalla.

—¿Sí?

—Hija, menos mal que lo coges.

—Estás muy pesada, mamá, tengo diez llamadas perdidas tuyas.

—Tienes seis.

—Bueno, las que sean... Te he dicho que ya hablaremos más adelante.

—Ya lo sé, pero te llamo por una cosa que me ha pasado esta noche y que no te lo vas a creer.

—¿Qué te ha pasado?

—Que se me ha aparecido Gene.

—Mamá, tú estás loca. ¿Quieres dejar de decir tonterías?

—Bueno, da igual que no me creas, el caso es que debes tener cuidado.

—¿Cuidado con qué?

—No lo sé, hija, los espíritus no son tan precisos.

—No tienes remedio, mamá —digo sin que se me note que me ha hecho mucha gracia esa afirmación.

—Ha sido una visión muy corta, pero creo que me decía que alguien te quiere engañar.

—Vale, lo que tú digas.

—¿Sabes ya algo del viaje?

—¿De qué viaje?

—Del largo que vas a hacer.

—Venga, mamá, déjame, que estoy trabajando. Ya hablaremos.

La casa en la que vivimos la diseñé yo. La construimos un año antes de casarnos, aunque ya la tenía en la cabeza desde hacía mucho más tiempo. Que yo diga que es una casa preciosa no tiene ningún mérito, pero es que lo dice todo el mundo. Cuando la gente entra en ella queda fascinada por su espectacularidad. Es posible que, de hacerla ahora, con lo que sé, cambiara algunas cosas. La haría más cómoda, más funcional. Es algo que hasta hace poco no me había planteado. A pesar de ser muy bonita, posee algunos fallos que ahora no cometería.

Tiene cuatro habitaciones. Una para cada niña, una para nosotros y la de invitados. El salón es completamente diáfano, con el techo a doble altura blanco como el suelo y las paredes. El color lo dan los muebles y los cuadros. El jardín no es muy grande, pero sí lo suficiente para tomar el sol, al igual que la piscina, que da de sobra para darse un chapuzón y refrescarse en verano. En el sótano hay un proyector de cine, una mesa de billar en la que nunca jugamos, porque ni sabemos ni nos gusta, y un despacho pequeño que es donde dibujo cuando me llevo trabajo a casa. En el sótano no tenemos supletorio del teléfono y tampoco hay cobertura para los móviles. Es mejor así, porque uno se puede concentrar en el trabajo, o si estás viendo una película, nadie te molesta. El teléfono fijo está en el salón y quien quiera puede dejar un mensaje. No tenemos interna porque no me gusta tener a una extraña durmiendo en casa, así que todos los días viene una chica a limpiar y por la tarde se va. Cuando salimos por la noche, suele venir una canguro que se llama Nuria y que es un encanto con las niñas.

Otra de las características de mi casa es mi vestidor. Puede decirse que lo diseñé desde la más absoluta frivolidad y hasta a mí me da un poco de vergüenza enseñárselo a las visitas. Es simplemente espectacular, como de anuncio. De hecho, he visto anuncios con vestidores maravillosos, pero mucho más pequeños que el mío. Mi vestidor es desproporcionadamente grande respecto a la casa. En realidad es desproporcionadamente grande respecto a cualquier casa.

A veces, aunque lo decidimos porque yo me empeñé en contra de la opinión de Óscar, me arrepiento de no tener cobertura en el sótano. El móvil me lo he dejado arriba y no para de sonar con el «mamá, cógelo, mamá, cógelo». Me extraña que me llamen a estas horas, son casi las doce de la noche. Subo al salón y, al ver el móvil, entiendo lo de la hora. Es una llamada internacional, de Estados Unidos, concretamente de Nueva York. Lo sé por el prefijo, un 1 del país y el 212 de Nueva York. Allí son ahora las seis de la tarde. Lo cojo y pregunta por mí un señor con acento americano.

—Sí, soy yo —le contesto.

—Soy William Smith.

Me dan ganas de decirle: «¡Anda, como el actor!», pero sólo lo pienso mientras él continúa hablando.

—Le llamo del despacho de abogados Skadden, Arps, Slate, Meagher & Flom. Soy el abogado del señor Gene Dawson.

—Sí, dígame qué quería.

—Deberíamos concertar una cita con usted.

—Está bien, pero ya me reuní con su representante aquí en España.

—No la entiendo bien, señorita Puente. Disculpe, pero mi español no es muy bueno.

Inmediatamente cambio al inglés. Estudié en un colegio bilingüe y lo hablo bastante bien. Continuamos la conversación en ese idioma.

—Le decía que ya estuve reunida en sus oficinas de Barcelona con Rocío Hurtado.

—Debe de haber algún error. Yo no sé quién es esa persona... ¿Rocío Hurtado, dice?

—Sí. Rocío Hurtado es una abogada que está en las oficinas que ustedes tienen en su delegación en Barcelona.

—Lo siento, pero está usted equivocada. Skadden, Arps, Slate, Meagher & Flom no tiene ninguna delegación fuera de Estados Unidos.

Blanca Ríos ha publicado un artículo demoledor sobre mi trabajo. Es increíble hasta dónde puede llegar la envidia de una arquitecta frustrada incapaz de haber conseguido nada. El artículo lo ha publicado en *Planos*, la revista especializada más prestigiosa del sector, la que lee todo el mundo que tiene relación con la arquitectura o el interiorismo en España. Blanca ha decidido ridiculizar mi trabajo en su artículo con la única intención de hacerme daño. No sé si tendré posibilidades de ganarla, pero como exista la más mínima voy a demandarla mañana mismo.

Yo no tengo amigas. No sé muy bien si es que no las he sabido conservar o es que realmente nunca las he tenido. Me refiero a esas amigas íntimas a las que se les puede contar todo, discutir y quererse sin guardar demasiado las formas ni para una cosa ni para la otra. No tengo ese grado de amistad con ninguna chica y con las que más unida he estado desde la infancia, el instituto o los primeros años de la universidad han ido desapareciendo de mi vida sin motivo y sin darme cuenta.

De niña tenía una amiga que se llamaba Andrea; éramos inseparables en el colegio y además casi vecinas. Yo no recuerdo haber llorado, ni posiblemente haber tenido un dolor tan profundo como cuando al padre de Andrea, que era ingeniero creo, le trasladaron y se fueron a vivir a Argentina. Eso fue en quinto, con diez años, y aunque nos seguimos escribiendo muchas cartas los primeros meses, después fueron siendo menos y pasado un año dejamos de hacerlo. No hace mucho que he tecleado su nombre en Facebook con la ilusión de encontrarla, pero no aparece. Hay un montón de chicas con el mismo nombre, pero ninguna de ellas es la Andrea Martínez que yo conocí en el colegio.

Por orden cronológico mi siguiente gran amiga fue Sandra, en el instituto. Es la chica que iba conmigo cuando nos atracaron en el metro. También fuimos muy amigas en la adolescencia, casi inseparables. Menuda edad esa de los doce a los quince, que lo pienso ahora y me da vergüenza lo tonta que puede llegar a ser una niña a esa edad. Nosotras, además, éramos muy pijas, que en esa época consistía en llevar polos Lacoste, Levis 501 y jersey Privata, así que recuerde. Nos gustaban los chicos más mayores, los que tenían quince o dieciséis. Ya con esa edad se afeitaban, que era algo que los situaba para nosotras en hombres casi inalcanzables. Tengo yo, desde siempre y no sé por qué, una especie de obsesión erótica con eso del afeitado. Para mí, un hombre afeitándose frente al espejo es una de las imágenes más sexys que puedo ver o imaginar. Es para mí una forma muy recurrente de excitarme. El año antes de entrar en la universidad Sandra se echó un novio y yo otro y de manera natural, sin que pasara nada entre nosotras, nos fuimos distanciando. Ella hizo Química y da clases de bachillerato en un instituto. Está casada y tiene un niño. Todo esto lo sé porque ella sí es amiga mía de Facebook. Siempre decimos que tenemos que quedar, pero luego nunca lo hacemos.

Mi otra gran amiga fue precisamente Blanca Ríos, a la que conocí en primero de Arquitectura —estaba con ella y Elisa, otra amiga común, el día que conocí a Eugenio—. Blanca y yo estuvimos muy unidas durante toda la carrera. Mis notas siempre fueron mejores, pero ella tampoco repitió ningún curso, así que empezamos y acabamos al mismo tiempo. Con Blanca conecté muy bien desde el principio porque teníamos gustos muy parecidos en casi todo e ideológicamente también estábamos próximas en eso del feminismo de salón que practicábamos. Estuvo trabajando en Puente el primer año y después decidió dedicarse al interiorismo y crear su propia empresa. Ahora, además, publica en *Planos,* en la que ha escrito el artículo en el que me ha puesto a parir. Bueno, a mí no, al tipo de arquitectura que hago, que ella sabe que en el fondo es lo mismo. Lo titula «Fórmulas repetitivas» y, entre otras cosas, viene a decir que mis casas son todas iguales, que impresionan sólo a los nuevos ricos sin referencias culturales y que son mucho mejores para enseñar que para vivir. Tengo tanta rabia dentro que no me salen ni las lágrimas.

Dedico demasiadas horas a mi trabajo. No me importa, porque me gusta mucho lo que hago, aunque pasar casi todo el día entre el estudio y las obras tiene algunos inconvenientes. Todo lo que no es trabajo, eso que compone el resto de mi vida, incluida yo misma, siempre está desatendido. Vivo con esa sensación permanentemente. Voy desplazando todas las tareas al fin de semana porque los días de diario no tengo tiempo de hacer nada, pero luego, cuando llega el sábado, no me apetece hacerlo. Desde ir a la peluquería, hacer la compra o algo tan simple como depilarme. Que por cierto, esta mañana me he tenido que poner pantalones, porque ni con medias tupidas disimulo el vello de las pantorrillas. Decir vello es como decir pelo, pero no suena tan mal. Sea vello o sea pelo lo que tengo ahora en las piernas, el caso es que hoy me he tenido que poner pantalones. Me hice la depilación láser, pero aún me faltan un par de sesiones para que sea definitiva y no saco tiempo para ir.

Hacer la compra es otra tarea imposible. Ir el sábado al súper me produce mucho agobio. Vamos Óscar, las niñas y yo, y como cualquier familia, nos pasamos media hora para aparcar, tres horas paseando por los pasillos para llenar dos carros y finalmente discutimos por cualquier tontería. Las niñas, insoportables, y él y yo con un humor de perros que no se nos quita hasta por la tarde. Podría hacer la compra por internet, pero es muy habitual que te cambien muchas cosas del pedido y eso me desespera. También podría decirle a la chica que trabaja en casa que se encargara de eso, pero ella también se equivoca lo suficiente como para ponerme de mal humor, así que a pesar de mi falta de tiempo, prefiero ir yo al súper.

Podría delegar más, desde luego, pero es que no sé. Y menos que en ninguna parte, en el trabajo. Tengo que revisar todo lo que se dibuja en el estudio, hasta el más mínimo detalle. Hay veces que la simple colocación de los enchufes, de una toma de agua en la cocina o de las conexiones de telefonía puede retrasar un proyecto o hacer que acabe mal. Es frecuente que los arquitectos más creativos o los menos expertos —que muchas veces son los mismos— se olviden de estos detalles en los que no quieren perder tiempo que creen restar a su imaginación. Hay arquitectos creativamente muy buenos a los que se les nota que no han pisado jamás una obra y que dibujan cosas que físicamente son imposibles de realizar. Cuando se va ganando oficio, eres capaz de detectar este tipo de problemas en cuanto ves un plano. En todo caso, es difícil formar a gente completa, que dibuje con imaginación, que sea solvente para resolver problemas y, al mismo tiempo, sepa desenvolverse en una obra. Así que dentro de mi equipo sé quién es cada uno de los arquitectos, conozco sus virtudes y sus carencias, y he entendido que es mejor no intentar cambiarlos. Eso sí, me obliga a estar a mí pendiente de todo.

Sobre mi mesa ha estado permanentemente el dibujo que comencé en la playa de la Malvarrosa. Anoche por fin me decidí a terminarlo, pero no fui capaz. Me di cuenta de que a lo mejor me estoy equivocando y no se trata de una parte de algo, sino que simplemente el dibujo es así. Intuía que me iba a descubrir algún misterio o algo similar, pero cada vez que lo miro me gusta más cómo es. Me transmite mucha energía y estoy segura de que, de hacerlo al óleo en un lienzo, sería una obra muy singular. A lo mejor lo hago. Cada vez me gusta más ese dibujo y cada vez creo que estoy más cerca de entender su significado.

Isabel, la recepcionista del estudio, me dice que está esperando al teléfono Blanca Ríos, que insiste en hablar conmigo. Me pone muy nerviosa su llamada y por un momento pienso en decir que no estoy. Me pone muy nerviosa enfrentarme a la gente, aunque yo lleve razón. Dudo un instante, pero finalmente le digo a Isabel que me la pase.

—¡Hola, María! ¡Cuánto tiempo sin hablar! —dice Blanca.

—Dime qué quieres —le contesto sin ninguna cordialidad.

—Supongo que habrás leído mi artículo de *Planos* y sólo quería decirte que no te lo tomes como algo personal.

—Pues es justo como me lo he tomado.

—Lo suponía, pero yo no me he metido contigo. Me pidieron en la revista una opinión sobre tu trabajo y me he limitado a darla.

—Yo lo único que he visto en tu artículo es resentimiento.

—¿Resentimiento?

—Sí, estás resentida porque tú nunca has tenido talento y ahora te dedicas a escribir para fastidiar a los que sí lo tenemos.

—En eso sí llevas razón. Creo que tienes mucho talento, lástima que esté tan desperdiciado.

—¿Desperdiciado? Tú eres una simple decoradora y yo tengo uno de los estudios de arquitectura más importantes de España.

—Eso es verdad. Has ganado dinero haciendo eso que haces y me parece muy bien, pero...

—¿Pero qué?

—Que yo que conozco tu capacidad esperaba mucho más de ti.

—¿Y qué esperabas de mí?

—Que no hubieras cogido siempre el camino más fácil.

Después de la llamada que recibí del bufete neoyorquino, encargué a Óscar que investigara quién es la tal Rocío Hurtado con la que me vi en Barcelona en aquella supuesta delegación de Skadden. No ha encontrado nada. Lo que no entendemos ni mi marido ni yo es por qué sabía que Gene era mi padre, por qué conocía la deuda del estudio y por qué sabía que yo iba a heredar. Le di a Óscar también la dirección del piso al que fui suponiendo que era la delegación en Barcelona, pero tampoco ha encontrado ninguna pista. Al parecer, pertenece a una señora mayor que está en una residencia. De todas formas, me ha dicho que seguirá buscando.

—Deberíamos olvidarnos de todo esta noche y dedicárnosla a nosotros.

—No sé, estoy un poco cansada.

Óscar saca de la neverita de vinos una botella de Rioja que me encanta. La abre y me sirve una copa.

—María, tienes que tranquilizarte.

—No sé, tengo la sensación de que algo se me está escapando de las manos.

—Olvídate de todo —me propone mientras me besa en la cocina.

Óscar logra relajarme. Me acaricia suavemente los hombros mientras me besa el cuello.

—¿Subimos a la habitación? —me sugiere—. Me apetece darte un masaje.

Me atrae el plan. En la mano derecha mantengo la copa de vino y él me coge de la izquierda guiándome hasta la habitación. Lleva la botella de vino en su otra mano. Entramos y cierra la puerta. Doy otro trago mientras Óscar enciende una vela antes de apagar la luz. Deja mi copa vacía en la mesilla y empieza a desnudarme. Lo tiene fácil. Llevo un pantalón de lino y una camiseta ancha. No llevo sujetador, así que sólo tiene que bajarme las bragas para dejarme como él quiere. Yo le ayudo porque también quiero estar desnuda, que me dé un masaje y olvidarme de todo eso que me preocupa y que no entiendo.

Óscar tiene unas manos maravillosas para dar masajes. Sólo se puede tocar bien si te gusta tocar. Es algo que se transmite. Pasa un largo rato desde el cuello hasta los pies, me deja completamente relajada, casi agotada de la intensidad del masaje. Después se centra en mis muslos, de manera más suave, de otra forma y con otra intención. Tantos años sintiendo las mismas manos y siempre hay algo que me sorprende cuando me tocan.

Yo sigo boca abajo y Óscar separa mis piernas, dejándome abierta. Me acaricia despacio desde la rodilla por dentro de mis muslos hacia arriba, hasta el final. Cuando me roza, no puedo evitar contraerme. Lo hace unas cuantas veces hasta que ya no quiero que me roce, sino que me toque; no quiero sólo excitarme, ya necesito placer. Intuyo que Óscar está manipulando un bote con crema. Noto cómo la palma entera de su mano embadurnada me toca sin demasiada sutileza entre las piernas. La mano resbala desde mi pubis hasta mis glúteos. Su recorrido de arriba abajo me está encantando, pero pronto quiero más. Óscar lo sabe y justo hace lo que quiero, sin tener que dar explicaciones. Cómo me gusta que me conozca tan bien. Desde atrás mete la palma de su mano hasta tocar mi ombligo y empuja hacia arriba poniéndome a cuatro patas.

Óscar ya está desnudo y siento cómo entra en mí. Se mueve despacio, al mismo ritmo que su mano llena de crema me sigue acariciando por delante y al tiempo que me besa en el cuello y en la oreja. Grito un segundo antes de acabar, grito cuando acabo y grito justo después de acabar. Necesitaba esto y lo necesitaba con él. Esto sólo puede dármelo él. Es una especie de poder que tiene sobre mí. Y a mí me encanta que lo tenga. Nos vestimos a medias, sólo con la ropa interior, y llena de nuevo la copa de vino, que ahora compartimos.

—Óscar, ¿qué había en los móviles de Gene y Patty?

—¿Qué móviles?

—Ya te lo pregunté una vez y te hiciste el tonto.

—Te prometo, María, que no sé de qué me hablas.

—Sé que estuviste manipulándolos. Me lo dijo Julia, porque te vio.

—Son cosas de niños.

—Pues me lo dijo muy segura.

—Bueno, sí. Estuve mirando los móviles. Me picaba la curiosidad. Como a ti.

—¿Y por qué borraste la información? No había ni llamadas, ni emails, ni contactos...

—Yo no lo hice. Cuando los encendí, ya estaba borrada toda la información. A lo mejor lo hizo la Guardia Civil después del accidente.

—¿Tú crees?

—Seguramente. Y además, ¿qué más da?

Óscar me pone un poco más de vino y me besa en la mejilla.

—María, tienes que tranquilizarte con este tema.

—Es que no sé muy bien lo que está pasando —le digo—. ¿Quién será la tal Rocío Hurtado?

—Tú no te preocupes, cariño, verás como todo se aclara.

Carla llegó ayer del colegio con un ojo hinchado. Dice que se golpeó contra una columna en el patio mientras jugaba al rescate. Se ha hecho un buen hematoma, aunque lo que creo que le duele más es ver cómo su hermana Julia no para de reírse de su torpeza. Me ha dado un poco de pena dejarla así en el colegio, pero tengo un día muy complicado y no puedo quedarme con ella.

Esta mañana tengo que cerrar varios trabajos pendientes y después volver a casa para terminar de hacer la maleta. Creo que el vuelo sale a las ocho. Algunas veces las niñas se han venido conmigo al despacho, pero a la media hora ya estaban alborotando y así es imposible trabajar. Son niñas y no se les puede pedir que se pasen cuatro horas sentadas en una silla sin hacer nada. Es mejor que hoy, precisamente, a pesar de lo del ojo de Carla, vayan al cole.

Yo de pequeña nunca faltaba al colegio, me encantaba ir. A veces, cuando estaba mala y mi madre me decía que tenía que quedarme en cama, me echaba a llorar. Siempre me ha gustado estudiar e ir a clase. En el colegio, en el instituto y en la universidad. Si yo llego a tener un ojo hinchado, mi madre me habría obligado a quedarme en casa seguro. Claro que ella no tenía que ir a trabajar.

Mi madre siempre ha vivido de las rentas, en el más amplio sentido de la palabra. El negocio de telas de mi abuelo Braulio le permitió comprar cuatro buenos pisos en Madrid de cuya renta ha vivido y sigue viviendo mi madre. Las cosas cambian y ahora ya sólo le quedan dos. Uno en el que vive y otro que tiene alquilado. Los otros dos los ha ido vendiendo cada vez que necesitaba algo más de lo que tenía. Yo creo que de eso ya no le queda nada.

Mi padre, Antonio, tampoco ha tenido nunca la necesidad de ganarse la vida. También de familia acomodada, era el mediano de siete hermanos. Nieto e hijo de militar y sobrino de dos obispos por parte de madre, en su familia siempre hubo una férrea disciplina y normas muy estrictas respecto a la moralidad. Fiel colaborador del mismísimo Franco, el padre de Antonio, que se llamaba Gonzalo, hizo una fortuna durante la dictadura con un montón de negocios en los que bastaba no tener demasiados escrúpulos a la hora de explotar a la gente. Su madre, Remedios, era una señora muy neurótica de misa diaria que vivía obsesionada con el demonio. De aquella gente, mi padre sólo sacó de bueno el hábito por el estudio, que le ha convertido, como dije, en un erudito en un montón de materias.

Cuando decidió casarse con mi madre, una mujer con una hija de otro hombre, don Gonzalo le pidió que no volviera a acercarse a su familia, algo que mi padre aceptó con agrado después de que su padre le cediera una finca en Salamanca. Mi padre no tardó en venderla y con aquel dinero fue comprando algunos pisos en Madrid que después vendió para comprar otros e ir sacando el dinero suficiente para no pasar jamás apuros económicos.

Gracias a eso pude montar el estudio después de terminar la carrera. Es verdad que gané algunos premios internacionales nada más acabar, es cierto que tuve mucho reconocimiento y proyección, que todo el mundo apostaba por mí, pero si no hubiera tenido dinero para empezar, posiblemente habría acabado como tantos otros arquitectos: trabajando para una constructora haciendo bloques de pisos en ciudades dormitorio. El dinero te ayuda a ser quien quieres ser. Hay que reconocerlo. Y el dinero lo tenía mi padre gracias a aquella familia con la que no volvió a tener trato. Salvo con mi tía Mercedes, una hermana menor a la que yo quería mucho, pero que murió atropellada por un tren. Dicen que calculó mal al cruzar la vía, pero aunque nadie lo haya reconocido es evidente que mi tía Mercedes se suicidó.

—¡María, tienes una llamada! —me dice Isabel, la recepcionista.

—Ahora no puedo.

—Es que es del colegio de tus hijas. Dicen que es urgente.

Óscar ya va para el colegio. Estaba haciendo gestiones en el banco y, aunque he tardado en localizarle, al final va a llegar él antes que yo. Me gustaría que no fuera así y poder darle un beso a la niña yo primero. La otra vez que me llamaron del colegio por algo así no estaba en Madrid y fue a recogerlas su padre. Menos mal que hoy Julia estaba en su clase y no ha hecho nada, pero Carla debe de estar todavía con el miedo metido en el cuerpo. Pobre. La otra vez creo que los psicólogos exageraron. En el fondo fue una cosa entre niñas. Julia pegó a una niña porque quería quitarle unas pinturas de cera que yo le acababa de comprar. No sé qué habrá pasado ahora con Carla, pero supongo que habrá sido algo parecido. Eso espero.

Veo el coche de Óscar en la puerta del colegio. Cuando no es la hora de salir o de entrar en clase hay mucho sitio para aparcar. Si no, hay que dar muchas vueltas y aparcar lejísimos. Carla y Julia van y vienen del colegio en la ruta. Ni Óscar ni yo podemos recogerlas casi nunca porque a esas horas estamos trabajando.

No me gusta la directora del colegio. Es una señora con cara de hombre. Hay mujeres a las que les pasa eso, supongo que por la dureza de sus facciones o por el corte de cara. Parecen hombres con peluca y esta directora es una de ellas. No me acuerdo de cómo se llama, a ver si logro recordarlo antes de saludarla y así quedo bien. Cuando entro en su despacho, Óscar ya está hablando con ella, pero no está Carla. Me dice doña Vicenta, que así se llama —no es que me haya acordado, es que tiene una plaquita con su nombre encima de la mesa—, que la niña se ha quedado con la psicóloga mientras nosotros hablamos.

—De todas formas, me gustaría verla —insisto.

—La niña está bien —me tranquiliza la directora.

—¿Tú la has visto? —le pregunto a Óscar.

—No —me contesta—. Yo también acabo de llegar.

—Su hija Carla —nos dice la directora— ha estado a punto esta mañana de provocar una tragedia.

—¿Pero qué está diciendo? —me alarmo.

—La otra niña afortunadamente está bien, pero creo que sus padres les van a poner una denuncia.

—¿Qué ha sucedido? —pregunta Óscar, desesperado.

Doña Vicenta nos cuenta que Carla ha empujado a una niña delante de un autobús de la ruta justo cuando había arrancado después de dejarlas en el colegio. Por suerte, el conductor estaba atento, pudo frenar a tiempo y el golpe a la niña no ha sido demasiado fuerte. Tiene una brecha en la cabeza y un hematoma en el brazo, pero podría haber sido algo irremediable.

—Deben ustedes tomar medidas —continúa la directora— y tienen que hacerlo pronto.

—Hablaremos con ella, desde luego —dice Óscar.

—Con ella y con Julia —corrige doña Vicenta—. Los informes psicológicos de las dos son preocupantes.

Yo, en este momento, no sé a qué se refiere. Miro a Óscar, que tampoco parece saber de qué informes está hablando la directora. Pronto nos saca de dudas.

—Llevamos varias semanas intentando hablar con ustedes para dárselos, pero no ha sido posible.

En ese instante me acuerdo de que el otro día escuché un mensaje en el contestador de alguien del colegio, pero creía que no era importante. Naturalmente, no lo confieso.

—El caso es que son dos niñas muy conflictivas —continúa—, con una permanente demanda de atención y tienen peleas constantes con el resto de alumnos.

—No puede ser. ¿Mis hijas? —pregunta Óscar, incrédulo.

—La última fue ayer mismo. Carla pegó a una niña en el patio y su hermano la defendió pegándole un puñetazo en el ojo.

—Ella me dijo que se había golpeado con una columna.

—¿Y usted la creyó?

—Es que en casa no son así —me derrumbo.

—Todavía son muy pequeñas —nos tranquiliza—, pero creo que mañana mismo deberían tener una reunión con el psicólogo del centro. Si quiere, la fijamos ahora.

—Es que yo me voy de viaje esta tarde y estaré cuatro días fuera de Madrid.

—Puedo venir yo solo —dice Óscar.

Decidimos llevarnos a casa a Carla, y también a Julia. Sólo les queda una hora de clase y ya que estamos aquí aprovechamos. Óscar va a pasar la tarde con ellas. Estoy preocupada, pero sobre todo triste. Y más cuando las niñas deciden montarse en el coche de su padre para ir a casa.

—Quédate en casa con nosotros —me propone Óscar— y pasamos la tarde juntos.

—No puedo. Tengo que ir al aeropuerto.

—Puedes irte mañana o coger el último Ave.

—No. Prefiero ir en avión.

Aunque Óscar no lo sabe, voy fatal de tiempo. Tengo que estar en el aeropuerto a las cinco, son casi las cuatro y todavía no he terminado de hacer la maleta. Cuando

111

llegamos a casa, decidimos no hablar de lo que ha sucedido esta mañana en el colegio. Lo haremos cuando Óscar haya hablado con la psicóloga y yo haya vuelto del viaje. Eso sí, he abrazado fuerte a Carla y a Julia. Les he prometido que les traeré alguna sorpresa que les guste.

—¡Quédate, María! —me insiste Óscar.

—No. Prefiero terminar con todos los asuntos pendientes que quedan en Valencia y cerrar aquello definitivamente.

—¡Está bien! —se conforma—. Nos vamos llamando.

—Andaré liada, así que mejor te llamo yo.

Beso a los tres y me monto en el taxi que me está esperando. Carla y Julia me lanzan un beso y yo les correspondo con otro mientras el taxista arranca.

—¿Dónde vamos, señora?

—Al aeropuerto, a la terminal 1, vuelos internacionales.

—Vamos para allá.

—¿Puede usted bajar la radio? —le pido mientras suena mi móvil—. Tengo que hablar por teléfono.

—Claro, señora.

—¡Mamá!, dime.

—Hija, ya estoy en el aeropuerto esperándote.

—Yo estoy saliendo de casa. Estoy ahí en veinte minutos.

—¿Se ha creído Óscar que te ibas a Valencia?

—Sí. No sospecha que vamos a Nueva York.

112

Mi madre tuvo un novio torero. Banderillero, para ser precisos. Luis, el torero, así le llamaba, es el único de sus amantes al que he conocido. Incluso los vi juntos. Pero sé que ha habido más. De todos, el torero ha sido el hombre del que mi madre ha estado más enamorada en su vida. A lo mejor también lo estuvo de Gene, pero eso tiene menos mérito porque en aquel momento mi madre era demasiado joven y, cuando es la primera vez que amas, todo se imagina más que se siente. Cuando Luis apareció en su vida, yo ya era mayor y, naturalmente, ella también. Enamorarse es estar loca, eso es algo que entendemos mejor las mujeres. Mi madre estuvo loca por Luis, por él perdió la cabeza y el sentido. Parece una copla, pero es que los dos podrían haber protagonizado una de esas letras tan desgarradas que cuentan el amor sólo por la parte que duele.

Mi madre nunca ha dado demasiada importancia a sus amantes. Yo he aprendido eso de ella. Me enseñó bastante bien a distinguir amor de sexo, enamorarse de desear, querer de necesitar. Es verdad que a veces todo se mezcla, pero es conveniente diferenciar unas cosas de las otras para no estar engañándote a ti misma más tiempo del necesario. En eso las mujeres también somos especialistas.

A mi madre nunca le han gustado los toros, a mí tampoco. Ella, además, fue siempre muy discreta con las cosas que hacía fuera de casa. Con el torero fue diferente. De repente, y sin venir a cuento, empezó a interesarse por los toros y hasta sacaba la conversación delante de mi padre, que también conocía teóricamente la relación de la tauromaquia con el arte. Él tampoco había ido nunca a una corrida, pero sabía de ello a través de Picasso, Lorca o Hemingway. Mi padre se interesaba por todo siempre de forma indirecta.

Yo me enteré de la existencia de Luis, el torero, porque mi madre no fue tan discreta con él como con los otros. Un día regresaba yo a casa desde no sé qué sitio cuando, antes de entrar en el portal, vi a una pareja besándose dentro de un coche. Me llamó la atención porque, a pesar de la pasión del beso, se notaba que no eran dos jovencitos. Siempre me ha gustado ver a las parejas besarse de forma entusiasta en la calle sin poderse contener, que parece que les faltan manos y lenguas. Me da envidia lo que sienten. Al hombre, al que apenas vi, no le abundaba el pelo y por eso me fijé en ella: llevaba una blusa naranja y tenía el pelo rubio recogido con mi pinza de nácar. Me quedé mirando, no sé si por la sorpresa, por algo de morbo, o, lo más seguro, por envidia.

Cuando salió del coche de aquel señor, recuerdo que era un Renault 18, mi madre se recompuso la falda, la blusa naranja y el pelo con mi pinza de nácar. Cuando se dirigió hacia el portal y me vio observándola, se dio cuenta de que la había visto besándose con ese hombre en el coche. Llegó hasta mí y se comportó de manera desconcertantemente natural.

—¡Hola, hija! —dijo mientras me daba un beso.

—¡Hola, mamá! —contesté tímida.

—¿Quieres preguntarme algo?

—No, mamá.

—Vale. Sólo quiero que sepas que todo está bien y que yo también estoy muy bien.

—Claro, mamá.

—¿Qué tal te ha ido el día?

Y eso hice mientras nos metíamos en el ascensor: contarle mi día con naturalidad. La misma que ella tuvo al entrar a casa y besar a mi padre, que nos esperaba para cenar.

El tipo del Renault 18 era Luis, el torero; banderillero, para ser precisos. El hombre del que mi madre posible-mente ha estado más enamorada en toda su vida. Es curioso cómo el dolor puede tener distintas formas, pero desgarrarnos siempre en el mismo sitio. El desamor siempre nos duele en la tripa, en las entrañas de nuestro ser, justo ahí, en el centro de lo que somos. Ése es el sitio en el que duele el desamor.

Un día de verano Luis toreaba en Las Ventas de banderillero con un matador modesto intentando cambiar su suerte y tener un triunfo que pudiera convertirle en un torero importante. Era una corrida más de un domingo de agosto en Las Ventas, de esos días en que casi toda la plaza está vacía y de la poca gente que hay, la mayoría son japoneses. Luis estaba a punto de poner un par de banderillas cuando el toro le prendió del muslo y le volteó por los aires. Cuando cayó, perdió el conocimiento del porrazo que se dio contra la arena. Tuvo suerte en eso, porque al estar inconsciente no sintió cómo aquel toro negro le metió el cuerno en la tripa, en las entrañas de su cuerpo, justo ahí, en el centro de su ser. El toro le desgarró por completo el vientre y tuvieron que operarle primero en la enfermería de la plaza y después en el hospital al que le trasladaron.

En el hospital estuvo varios días en la UVI entre la vida y la muerte hasta que a las dos semanas la moneda se inclinó hacia el lado de la vida. Mi madre fue a visitarle cuando lo llevaron a planta. Iba ilusionada por el pasillo que conducía a la habitación por volver a besar a su torero herido. Cerca de la puerta vio a dos niños de unos ocho y diez años y, al asomarse dentro, a Luis tumbado y a una mujer a los pies de su cama. El torero vio a mi madre en el umbral y con un gesto de cabeza señalando el pasillo le pidió que se fuera por donde había venido. Y eso hizo mi madre, que se fue de allí después de esquivar a uno de los dos niños con los que casi se chocó sin darse cuenta. En el camino de vuelta por aquel pasillo mi madre sufrió el inconfundible dolor del desamor, que ataca justo en las entrañas e irradia tristeza sin piedad al resto del cuerpo. El torero y ella, cada uno con las tripas desgarradas a su manera, no volvieron a verse.

Esta historia es la única de la que mi madre me hizo partícipe de cuantas haya tenido. Entre otras cosas, porque fue la más importante. Me la contó una noche que yo volví a casa de madrugada después de una cena con compañeros de la facultad en la que había bebido más de la cuenta. Ella estaba tomándose un whisky, algo que solía hacer las noches de los viernes. Ése era el día en el que se tomaba una copa sola en el salón, la mayoría de veces acompañada de algún porro de marihuana y escuchando música. Esa noche me uní a ella con el whisky y con los porros y me contó su pasión por el torero y el dolor del desamor. Aquella noche quise mucho a mi madre. Descubrí que era una mujer apasionada, llena de vida, querida y herida por aquella historia de amor con Luis, el torero. Cómo me gusta recordar esto precisamente ahora.

Yo había ido varias veces a Estados Unidos, incluso estudié allí tercero de bachillerato. Viví en un pueblo de Nebraska donde casi nadie tenía una idea precisa de dónde estaba España y donde, aparte de aprender inglés, descubrí que yo no era rubia. En España siempre lo había sido, pero las rubias de Nebraska con esas pieles blancas como un folio y ese pelo casi amarillo hacían de mí, en el mejor de los casos, una chica castaña. También había viajado a Los Ángeles, Chicago y Boston en distintas vacaciones, pero curiosamente no había estado nunca en Nueva York hasta que tuve treinta años.

La primera vez que vine ya no estaban las Torres Gemelas, el atentado había sido justo el año anterior. Esa primera vez no me gustó demasiado la ciudad, puede que porque me lo pasé fatal. Los sitios, creo, te gustan en función de lo que te pasa en ellos. Fui con Óscar poco después de haber tenido a las niñas. Yo creo que no habían pasado ni tres meses.

El nacimiento de Carla y Julia me provocó un gran desconcierto, aunque la palabra que mejor le iría a lo que me pasaba es desconsuelo. Durante los días en los que permanecí en el hospital, a pesar de las molestias de la cesárea, estaba contenta porque las niñas pasaron los dos primeros en la incubadora y yo sentía esa especie de felicidad que te da poder decir que eres madre. Las niñas tenían poco peso, normal al ser mellizas, pero estaban estupendamente de salud. Lo malo fue al llegar a casa.

Al margen del agobio que suponía manejar a dos criaturas tan pequeñas sin estar muy segura de cómo se hacía y de la gente que no paraba de venir a casa de visita en aquellos primeros días, el caso es que Carla y Julia se pasaron las siete noches de la primera semana llorando sin parar. «Sin parar» no es una expresión coloquial para decir que lloraban mucho, «sin parar» es exactamente sin parar de llorar de doce a siete de la mañana. Ni un solo instante. Pronto contratamos a una cuidadora que estuviera con ellas por el día y a una salus por la noche. La salus nos permitió dormir, que ya era bastante, pero el agobio de tener a las dos niñas en casa nos seguía desbordando. Así que todo el mundo nos recomendó que nos hiciéramos un viajecito, aunque sólo fuera de cuatro o cinco días.

Y eso hicimos. Escogimos Nueva York como destino de un viaje que en realidad era una huida. Las niñas se quedaron con mi madre, la cuidadora por el día y la salus por la noche, así que tampoco iba a pasarles nada. Óscar y yo llevábamos muchos meses sin tener relaciones, sin acostarnos, sin hacer el amor... En fin, podríamos definirlo de varias maneras, pero entre mi gordura dos meses antes de dar a luz, los puntos de la cesárea, el llanto de las niñas, el agobio y el sueño, llevábamos más de cinco meses sin follar.

Cuando aterrizamos en Nueva York nos sentimos libres y ya cuando estábamos en la fila esperando un taxi

119

empezamos a hablar de lo que haríamos cuando llegáramos al hotel. Tan excitados íbamos que ni siquiera abrimos las maletas al llegar a la habitación. Fuimos directos a la cama. Fue algo rápido, casi un desahogo. No hubo eso que la gente llama preliminares, muy a lo bruto todo, muy desordenado, sin ni siquiera desnudarnos del todo, sólo quitándonos lo imprescindible. Como era previsible, nuestro encuentro sexual no duró mucho, pero nos dejó muy a gusto. Además, era sólo el primero de los muchos que íbamos a tener esos cuatro días en Nueva York.

Una vez recuperados, deshicimos las maletas y salimos a pasear por los alrededores del hotel. Estábamos cansados, pero eran más o menos las nueve de la noche, hora neoyorquina, y había que aprovechar cada instante. Al poco tiempo tuvimos que entrar en un bar para ir al servicio porque yo tenía muchas ganas de hacer pis. Era una sensación rara que había tenido desde que Óscar y yo nos habíamos acostado en el hotel. Nada más llegar al baño del bar e intentar hacer pis me di cuenta de que aquello tenía pinta de ser cistitis. No era la primera vez que me pasaba, así que conocía perfectamente los síntomas, pero esta vez tenía pinta de ser más fuerte.

Recorrimos varias farmacias, pero en Nueva York pasaba lo que pasa aquí, que es casi imposible conseguir antibióticos sin receta médica. Óscar me propuso llamar a un médico de urgencia, pero le dije que no era necesario porque seguramente se me pasaría. Me equivoqué. Me pasé toda la noche sentada en la taza del váter con esa sensación de querer hacer y no tener pis. La cistitis, cuando es violenta, provoca una de las sensaciones más desagradables que pueden experimentarse. Cuando llamamos al médico tenía 39 de fiebre y los antibióticos empezaron a hacer efecto a los dos días. Los mismos que me pasé yendo y viniendo del váter a la cama y de la cama al váter de la habitación del hotel de la calle 50 en Manhattan.

Cuando me recuperé lo suficiente como para levantarme de la cama ya sólo quedaba un día para regresar a Madrid. Ése fue el tiempo que tuve para ver Nueva York muy por encima. Entre las prisas y mi debilidad a consecuencia de la infección, la ciudad no terminó de gustarme. Creo que incluso le cogí un poco de manía. Normal. Aquel viaje planteado para recuperar nuestra actividad sexual después de tanto tiempo acabó con un polvo de cinco minutos que además tuvo fatales consecuencias. Definitivamente, Nueva York no era mi ciudad.

He hablado por teléfono con Carla y Julia y están bien. Óscar me dice que ha podido hablar con los padres de la niña a la que Carla empujó al autobús y han decidido finalmente no denunciarnos. Me dice mi marido que son gente muy sensata. Es verdad, si yo me pongo en su lugar no sé lo que habría hecho. Óscar también ha hablado con el psicólogo del colegio. Yo creía que era psicóloga porque se llama Rosario, pero es que Rosario también es nombre de varón. El diagnóstico de Rosario es que las niñas pueden desarrollar una conducta antisocial. A partir de la semana que viene van a empezar una terapia a la que deben ir una vez a la semana y me cuenta Óscar que también tendremos que ir él y yo. Dicen que es imprescindible.

—A mí no me sorprende tanto lo que ha pasado —me dice mi madre al contárselo.

—¿Pero qué dices? —me enfado.

—Las niñas no paran de llamar la atención. Será porque la necesitan.

—Carla y Julia tienen de todo.

—Tienen de todo, pero se pasan el día solas.

—Mamá, no te metas donde no te llaman. Son mis hijas.

—Mira, María, yo no quiero discutir... Carla ha empujado a una niña delante de un autobús y a punto ha estado de matarla.

—Pero al final no ha sido nada.

—¡María, por Dios! —me grita—. Deja de mirar para otro lado.

Tengo la tentación de contestar, pero antes de hacerlo me pongo a llorar. No sé muy bien por qué, pero no puedo evitarlo.

—¡Ven aquí, mi niña!

—¿Qué estoy haciendo mal?

Mi madre me abraza y yo lloro en su hombro.

—Verás como todo se arregla —me consuela.

Y así sigo un rato largo en el hombro de mi madre, manchándole el pecho de mocos y lágrimas como cuando era pequeña. Hacía mucho tiempo que no lloraba tanto, ni me acuerdo de la última vez. Y no, no quiero mirar para otro lado. Tengo la sensación de que las cosas no pueden seguir así, y aunque no sé cómo empezar, voy a cambiarlas.

Las oficinas de Skadden, Arps, Slate, Meagher & Flom en Manhattan son exactamente como me las había imaginado. Están en la planta veinticinco de un rascacielos cerca de Times Square. Desde la recepción una señorita nos acompaña hasta el despacho de William Smith.

Mi madre y yo nos sorprendemos de la cantidad de gente que trabaja en el bufete, lleno de pasillos y estancias enormes repletas de mesas contiguas en las que los empleados, bastante jóvenes en general, trabajan delante de sus ordenadores. Son oficinas modernas donde el cristal, el acero y la moqueta no necesitan más decoración que los ordenadores y el personal, ellos casi todos con camisa y corbata, ellas con esa elegancia un poco artificial que tienen las abogadas en todas partes y aquí también.

Al doblar un nuevo pasillo —esto es enorme— la decoración cambia. La moqueta es ahora verde botella, las paredes están forradas en tela beis con un toque salmón muy clarito, los muebles son coloniales y hay colgadas pinturas al óleo, paisajes y algunos retratos de presidentes americanos. Desde Washington hasta Kennedy. Al lado del despacho al que nos dirigimos hay una bandera de Estados Unidos. Los americanos son muy exagerados para sus cosas.

Mi madre y yo nos sentamos en unos sillones de piel color tabaco en una sala de espera contigua. La chica que nos ha acompañado se marcha y aparece un señor bajito, con barriga, calvo y con el pelo que le queda en la nuca largo hasta los hombros. Es muy blanco de piel, los ojitos verdes muy pequeños, el pelo que le queda rojizo, su traje color crema, su camisa blanca de seda brillante y una corbata verde. Lo que podríamos definir coloquialmente como «un cuadro». Nos saluda en español para a continuación bromear en inglés: «No hace falta que lo digan, a pesar del nombre, no me parezco al actor». Mi madre no habla inglés, así que no sabe de qué se ríe, pero al ver cómo nos reímos nosotros ella también lo hace para que no parezca que no ha entendido nada. Nos invita a su despacho y, una vez sentados en una especie de mesa de juntas, William Smith se pone serio, adquiriendo un tono más profesional.

—Perdone, señor Smith —interrumpe mi madre—, ¿podría hablar usted en español? Antes le he oído y...

—No te preocupes, mamá —le interrumpo—, yo te traduzco.

—No es un problema. Hablaré en español si lo desea —responde el abogado.

Nos ofrece tomar algo, en español, mientras nos pregunta qué tal en Nueva York. Las dos pedimos agua. Él mismo se levanta y la pide por teléfono, supongo que a su secretaria. Después de colgar, coge un sobre blanco de uno de los cajones de su mesa y lo abre. Del interior saca unos documentos.

—Debe firmar este documento, señora Puente. Es la última voluntad del señor Dawson. Debe usted firmar para que yo pueda entregarle este número.

Firmo el documento y el abogado me entrega otro sobre.

—¿Qué es? —pregunto mientras me dispongo a abrirlo.

—¿Qué es? —dice mi madre impaciente.

—Nos lo dejó Gene Dawson para usted. Es la clave de una cuenta bancaria en Suiza.

—¡Como en las películas! —exclama mi madre.

—¡Mamá, por favor! —le llamo la atención, aunque en realidad yo había pensado lo mismo.

—¿Y cuánto dinero hay? —pregunta mi madre—. Por hacernos una idea.

—Cuatro millones de euros —contesta Smith.

—¡Cielo santo! —se echa mi madre las manos a la cabeza—. ¿Y qué vas a hacer con tanto dinero?

—Pagar una deuda.

—¿Una deuda? —se extraña mi madre.

—Bueno, ya te contaré.

La secretaria de William Smith entra en el despacho con el agua para nosotras y un té para él. Lo deja en la mesa y se marcha.

—Gene Dawson sabía que iba a morir, estaba enfermo —nos desvela el abogado.

—Gene murió porque se empotró contra un camión —le recuerda mi madre.

—Eso adelantó su muerte, pero los médicos le habían pronosticado un año de vida. Por eso fue a España a buscarla.

—Debería haberlo hecho antes —protesto.

—¡A veces la inminencia de la muerte nos enseña el camino correcto! —dice mi madre, que se sorprende ella misma de la frase que le acaba de salir.

—¿Cómo? —pregunta el americano, cuyo español no da para tanto.

Tengo por un momento la tentación de traducírselo, pero no lo hago.

—Mañana iremos a la casa —nos revela Smith— para hacerle entrega del resto de cosas que el señor Dawson dejó para usted.

—¿Qué casa? —pregunto.

—¿Qué cosas? —pregunta mi madre.

—La casa en la que vivía Gene —contesta Smith—. Allí hay objetos personales que son para usted. Teníamos que entregárselos cuando él muriera y, como le dije, hacerlo sin que su marido estuviera presente.

Cuando cumplí los quince años quise buscar a mi padre biológico. Es un deseo que tenemos todas las personas que somos adoptadas. Mi madre me dijo que no sabía nada de aquel hombre, ni si estaba vivo o muerto, y, además, nunca me reveló su nombre verdadero. Me engañó, y se equivocó al hacerlo. O quizás no.

Ella buscó a Gene Dawson cuando mi empeño por conocer a mi padre biológico era insostenible. Lo encontró y descubrió en ese momento que su amante americano se había convertido en un artista reconocido mundialmente. Fue a Nueva York y le hizo saber que en España tenía una hija preciosa que quería conocerle. Mi madre no ha querido entrar en detalles sobre la negativa del escultor a conocer a su hija, pero aquel viaje no salió como ella esperaba. Al parecer, el Gene que encontró mi madre en Manhattan era un buen hombre, pero alcoholizado y enganchado a la cocaína.

Mi madre quedó con él en su apartamento de Nueva York una mañana. Abrió la puerta una asistenta negra fumando que hablaba español. Le hizo pasar a una salita con restos de una juerga que tenía pinta de ser permanente; en esa casa, según mi madre, ni con cinco asistentas negras se solucionaba el desastre. Gene tardó más de media hora en aparecer. Y cuando apareció, lo hizo con un albornoz marrón abierto y en calzoncillos. Llegó a la salita recién levantado, sin haberse lavado la cara. Era evidente por las legañas y por los surcos de las sábanas sellados en su rostro. Mi madre llevaba debajo del brazo un álbum negro de fotos de su preciosa hija desde que era bebé hasta la adolescencia para que mi padre biológico me conociera.

—¿Ésta es mi hija?

—Se llama María Puente, lleva el apellido del hombre con el que me casé.

Gene hojeó el álbum. Mi madre había seleccionado cuidadosamente cada una de las fotos, añadiendo fechas y textos explicativos. Había cumpleaños, enfados, risas, estaba yo dibujando, comiendo, jugando... Los primeros quince años de mi vida dentro de ese álbum de tapas negras.

—Es igual que tú.

—Sí, nos parecemos mucho.

Gene terminó una a una las páginas del álbum y volvió al principio.

—¡Gracias, Ernesta!

Fue lo último que acertó a decir antes de emocionarse sentado en el sofá. Cerró el álbum después de terminarlo por segunda vez y se levantó a servirse un whisky. Puso medio vaso, que apuró de un solo trago, y volvió a rellenarlo. Le ofreció uno a mi madre, que, naturalmente, rechazó. Era demasiado pronto para una copa.

—María quiere conocerte.

—¿Y por qué no la has traído?

—Quería saber primero cómo estabas.

—Has hecho bien.

—Espero que lo entiendas. Ella todavía es muy joven y no quiero que...

—Que vea lo que tú estás viendo, ¿no?

Mi madre sintió pena por Gene, pero además de pena también le dio un poco de asco. Y se sintió mal de que le pasara eso. La mente a veces es muy caprichosa y repara en pequeños detalles que hacen tomar grandes decisiones. Mi madre pensó de repente que si Gene esa mañana no se había lavado aún la cara, tampoco se habría lavado las manos después de hacer pis, que es lo primero que hace todo el mundo al levantarse. Aquel hombre en calzoncillos y albornoz que empalmaba resaca con borrachera y que además tenía las manos sucias después de hacer pis no iba a conocer a su hija por mucho artista reconocido que fuera.

—Me ha encantado verte —dijo mi madre levantándose.

Gene entendió que mi madre no iba a contarme quién era él. Posiblemente también él creyera que eso era lo mejor para mí. No quedaron en nada y a la vez todo estaba dicho.

—¡Cuídala mucho! —le dijo Gene—. ¿Puedo quedarme el álbum?

—Claro. Es para ti.

Mi madre se despidió cortésmente con un beso en la mejilla sin aceptar la mano de Gene y se fue al aeropuerto.

Es posible que se equivocara al darme pistas falsas sobre mi padre o a lo mejor no. No sé qué habría pasado si con quince años hubiera sabido que aquel hombre era mi padre. De eso y mucho más estamos hablando esta noche en un restaurante de la calle 42 mi madre y yo. Mañana vamos a ir al apartamento de Gene antes de regresar a España. El mismo en el que mi madre estuvo aquella mañana hace más de veinte años.

Mi madre se ha levantado con algo de fiebre. Es de la garganta. Últimamente tiene faringitis cada dos por tres y anda medio afónica todo el rato. Yo me río, porque tiene una voz que parece cazallera, ella que es tan de *gin-tonics*. Antes de venir fue al otorrino para hacerse unas pruebas, pero yo en cuanto me dice que tiene fiebre me acuerdo de lo que me pasó a mí la primera vez que estuve aquí con la cistitis y le propongo llamar a un médico para que le recete antibióticos antes de que sea demasiado tarde. No me hace caso y dice que con unos caramelitos de miel y limón que lleva la cosa mejorará.

Mi madre recuerda perfectamente el portal, pero dice que la casa le parece diferente. Han pasado más de veinte años y la memoria es demasiado caprichosa. Lo que mi madre recordaba como una casa caótica, sucia y oscura es un apartamento en el Upper East Side, uno de los barrios más caros de Manhattan, de más de trescientos metros en una planta veinte con vistas a Central Park.

—Yo qué sé, hija —se justifica—, cuando yo vine estaban las persianas cerradas.

—Es un apartamento apoteósico —exclama Smith—. ¿Apoteósico, se dice?

No le corrijo porque aunque él no lo sabe creo que ha dado con el calificativo correcto. Apoteósico. Gene lo vendió a una sociedad hace algunos meses, aunque podía disfrutarlo hasta su muerte.

—¿Y qué es lo que Gene me ha dejado?

—Todo.

—¿Cómo todo? —insiste mi madre.

—Todo, señora. Los cuadros, las esculturas, los libros, los muebles. Todo lo que hay en el apartamento es para usted. Está todo en este inventario. Muchas cosas no tienen demasiado valor, pero hay otras que son piezas únicas.

Me da una lista con papel oficial y sellos del estado de Nueva York. Una lista en la que están, uno a uno, todos los objetos que hay en el piso. La verdad, no soy capaz de distinguir lo bueno de lo que no lo es tanto, lo de más valor y lo de menos. Todo es tan armonioso que sientes que si sustituyes un solo cojín por otro, el nuevo siempre será peor. Mi madre y yo hacemos un recorrido por el apartamento detrás de William Smith, que va por delante abriéndonos puertas.

Viendo la casa siento un poco de rabia por no haber conocido antes a Gene, no porque yo haya necesitado más cariño del que he tenido, eso seguro, sino porque hubiera aprendido mucho de él. Es algo que intuyo porque hay algo en mí que es suyo. Puede que sea la genética, que tiene mucha fuerza, y no sólo porque nos haga ser rubios o altos o tener los ojos verdes o, en algunos casos, los dientes separados. También la genética inunda todo eso que no entendemos y que pretendemos explicar con palabras tan poco precisas como espíritu o alma.

—Y éste era el estudio donde Gene solía trabajar.

Es la última frase que pronuncia William Smith antes de abrir la última puerta, que sale de una esquina del salón. La habitación está completamente a oscuras. Nuestro guía se adentra en ella buscando alguna persiana para que entre algo de luz.

—Al parecer, trabajaba a oscuras —explica.

—¿A oscuras? —se pregunta mi madre.

—Sí —le respondo—, a mí me lo contó una vez. Al principio, moldeaba el barro a oscuras.

—¡Hay que ver la tontería de los artistas! —dice mi madre mientras le entra la risa y la tos al mismo tiempo.

William Smith encuentra una persiana y comienza a abrirla mientras la habitación va iluminándose poco a poco. Apenas hay muebles. Sólo una mesa de trabajo en el centro llena de lo que parecen modelos en barro y varios lienzos apoyados en el suelo, muchos todavía en blanco, otros en los que parece que Gene había estado ensayando colores y formas. Al parecer sin llegar a ninguna parte. En un rincón, detrás de unos lienzos apilados, hay una mesita pequeña. Hacemos un recorrido visual por toda la habitación. Una ojeada que dura apenas unos segundos, el tiempo que Smith tarda en subir las persianas.

De repente, mi madre y yo reparamos en el rincón de la mesita pequeña. Encima de ella hay un lienzo, apilado junto a otros. Noto cómo a mi madre le da el mismo escalofrío que a mí al verlo. Es el mismo dibujo, pintado al óleo, que yo había hecho en la playa de la Malvarrosa. Idéntico. Me acerco para verlo y en el margen inferior, junto a la firma de Gene, hay una fecha: 23 de marzo. No es ninguna fecha significativa para mí, pero, por algún motivo, me suena de algo.

—¡Eugenio!

—¡María! ¿Dónde andas?

—Da igual. ¿Qué día estuvimos comiendo tú, Óscar y yo en la playa de la Malvarrosa?

—Yo qué sé. No me acuerdo.

—¿Puedes mirarlo?

—¿Ahora?

—Sí.

—¿Y para qué?

—¡Da igual para qué! —alzo un poquito la voz—. ¡Míralo! Tú siempre lo apuntas todo en el iPhone.

—¡Espera! Ahora te llamo.

—No. Espero aquí.

Eugenio despega el móvil de su oreja para consultar el calendario y a los pocos segundos vuelve.

—El 23 de marzo. Ése fue el día que comimos en la Malvarrosa.

—Gracias —me despido sin más explicaciones.

William Smith nos pregunta si sucede algo al ver nuestras caras de sorpresa con el dibujo entre las manos. Mi madre le explica que yo hice uno idéntico sin haber visto éste.

—¡Y el mismo día! —termina mi madre.

—El mismo día no pudo ser porque ese día Gene ya estaba muerto.

—Sería su espíritu —supone mi madre.

—¡Mamá, por favor! —intento que entre en razón—. Lo haría ese mismo día del año pasado.

—¡Lo que tú digas! —Me da la razón como se da la razón cuando se regala algo creyendo que te pertenece.

—¿Y qué significa el dibujo? —nos interrumpe William.

—¡Nada! El dibujo no significa nada —le contesto—. Simplemente, es el mismo.

—¡La genética tiene tanta fuerza! —exclama mi madre.

Voy a contarle que eso mismo había pensado yo hace unos minutos, antes de ver el dibujo, pero no lo hago porque reparamos en que al lado del dibujo hay una carpeta de plástico de color naranja con el membrete de una agencia de detectives. En la cabecera del informe aparece el nombre de la persona a la que Gene encargó investigar. Hay fotografías, emails, documentos bancarios, conversaciones telefónicas transcritas. Todos los pasos que esa persona había dado en los últimos meses. El nombre del investigado aparece en la portada de la carpeta: Óscar Palau.

En el vuelo de vuelta a Madrid apenas si he podido descansar. Ni yo ni casi nadie en el avión, porque mi madre se ha pasado tosiendo las siete horas que ha durado. A pesar del cansancio, me ha venido bien estar despierta. He podido pensar y, aunque sin hacer ruido, también me ha dado tiempo a llorar.

Yo nunca estoy triste. Realmente nunca lo he estado. Claro que ha habido cosas que me han dado pena y me han afectado. Por ejemplo, la muerte de mi perra cuando tenía doce años, las dos teníamos doce años. Éramos del mismo mes y siempre habíamos vivido juntas. Tardé en entender que ella, a pesar de tener mi edad, era muy viejita y yo aún una niña. Se llamaba Chancla y mi padre la compró cuando teníamos seis meses ella y yo. Le pusieron ese nombre porque nada más entrar en casa mordió jugando una de las chanclas de la chica que limpiaba y aquella acción la marcó de por vida.

Claro que sentí pena cuando murió mi perra. Y otras muchas veces. Pero yo siempre he visto la vida por el lado bueno, porque mi vida siempre ha sido la de alguien con suerte. Nunca me he quejado porque nunca he tenido por qué hacerlo. Honestamente lo he pensado siempre así y creo que ésa es una de mis virtudes. No soporto a la gente que se lamenta continuamente sin que le haya pasado nunca nada realmente malo. Yo no soy así. Yo no era así.

Ahora, nada está en su sitio y no tengo demasiadas ganas de colocarlo de nuevo. De verdad, lo único que me apetece es dormir. Simplemente dormir. Acostarme y quedarme en la cama hasta que tenga algún motivo para levantarme. Ahora sí estoy triste. Más que nunca y de una manera diferente. Lo único que quiero es dormir para soñar que todo vuelve a estar bien y no sentir que a lo mejor es que nunca lo ha estado. Me ahoga pensar que casi todo lo que tengo es mentira, que hay poca verdad en lo que me rodea. No quiero estar despierta porque no le encuentro color a la vida. Por primera vez, no sé realmente lo que tengo y no tengo ganas de descubrirlo. Dormir, eso es lo único que quiero.

—¿Y cómo fue? —reconozco la voz de Eugenio.

—Dice la Guardia Civil que se quedó dormida y se salió de la carretera —le contesta mi madre, muy afónica.

—Menos mal que no ha sido nada.

—Lo único la muñeca, que va a tener que estar un par de semanas con la escayola, pero ahora, en cuanto se despierte, le darán el alta.

—¿Has llamado a Óscar? —pregunta Eugenio a mi madre.

—Sí. Ya viene para acá, pero antes de que llegue quiero pedirte una cosa.

Abro un momento los ojos y veo que estoy en la habitación de un hospital. Veo a Eugenio y a mi madre, de espaldas; no se dan cuenta de que me he despertado. Cierro los ojos para escucharles.

—Pídeme lo que quieras.

—Tienes que ayudar a María. Yo sé que tú la quieres mucho.

—Claro. Ella y yo somos amigos.

—¡Venga, Eugenio, que yo no me chupo el dedo! Tú estás enamorado de mi hija hasta las trancas. Hasta las trancas decís los jóvenes, ¿no? Bueno, que me lío. A lo que iba, que tienes que ayudarla.

—¿Y cómo?

—Me va a matar si sabe que te lo he contado, pero me da igual. Óscar la está engañando.

—Bueno, eso son cosas de pareja y yo...

141

—No —le interrumpe—, no me refiero a que tenga alguna aventurilla. Ya sé yo que mi hija y tú también estáis liados y no pasa nada...

—Bueno, Ernesta... —dice Eugenio por decir.

—Que a mí eso me da igual —continúa mi madre—, que yo también he vivido lo mío y... Bueno, que me lío. A lo que iba, que Óscar...

—¡Hombre, Óscar! —exclama Eugenio interrumpiendo a mi madre.

—¡Hola! —escucho a Óscar, que acaba de llegar—. ¿Estabais hablando de mí?

—Sí —contesta mi madre—, le estaba diciendo a Eugenio que estarías a punto de llegar.

—¡Cuídate esa voz, Ernesta, vaya afonía! ¿Qué tal está María? —pregunta mi marido mientras siento su beso en mi frente.

—Bien, yo creo que debemos despertarla. Ahora vendrá el médico y seguramente le dará el alta.

No me acuerdo de nada. Regresaba a casa y me quedé dormida, según la Guardia Civil. Perdí el conocimiento durante un rato y por eso me he pasado la noche ingresada. No tengo nada grave, salvo lo de la muñeca, que me va a tener sin dibujar los próximos días. No sé cómo voy a hacerlo, porque nunca he estado más de dos días sin coger un lápiz. Ni profesionalmente ni cuando era pequeña. Las niñas me han firmado en la escayola. Les ha hecho ilusión. Están bien, como siempre. Han ido ya a un par de sesiones con el psicólogo y me cuentan que se pasan todo el rato dibujando y explicando los dibujos que hacen. Las miro y lloro. Miro mi casa y lloro. Miro a Óscar y lloro. Así estoy. No lo puedo soportar. No quiero estar así y daría lo que tengo, todo lo que tengo, para que las cosas volvieran a ser como eran. Pero ya no puedo escaparme de lo que sé.

Hoy me quedo en la cama. Las niñas se van al colegio, Óscar al estudio y le he dicho a la chica que se tome el día libre. Hacía años que no me quedaba en casa sola sin ir a trabajar y sin nada que hacer. He hecho un esfuerzo por ducharme. Hasta me he secado el pelo como si tuviera que ir a cualquier reunión. Duchada y con el pelo arreglado, me he puesto una camiseta grande, unas bragas también grandes y me he vuelto a meter en la cama a ver la tele. Hago zapping entre varias teletiendas, alguna película vieja de la TDT y Ana Rosa Quintana, que, por cierto, lleva un vestido precioso y unos tacones divinos. Me aburro, pero me siento libre sin hacer nada. Y sola. Mi habitación tiene una tele grande en la pared, una pantalla extraplana que ilumina todo porque he apagado las luces y no he levantado las persianas.

En uno de los canales de pago están poniendo *Grease*. Sorprende lo delgado que estaba John Travolta cuando era joven y lo gordo que se puso después. Y Olivia Newton-John, que está monísima, que hay que ver lo que favorecen los vestidos años cincuenta que llevaba en la película, con sus faldas de vuelo, cintura de avispa y cinturón ancho. Y el lazo en el pelo, tan simple, tan cándido. Me encanta pensar en estas cosas, que es como no pensar en nada. Me hace bien. Y de repente, como por un impulso, pongo la mano entre las piernas. Mi mano izquierda, porque la derecha está escayolada. No tengo ganas, pero no quito la mano, que, además, empiezo a mover de forma algo compulsiva. Ni siquiera estoy excitada, pero poco a poco voy relajándome. De repente paro y sigo viendo la tele. Pero siento como si algo se hubiera quedado pendiente. Cuando vuelvo a tocarme, ya me noto más receptiva, como si lo de hace un momento hubiera activado esa parte que ahora ya demanda más atención.

Bajo el volumen de la tele un poco para no desconcentrarme. Me quito la camiseta y meto la mano por dentro de las bragas. La izquierda, naturalmente, que en esto tiene nula práctica porque soy diestra cerrada. A lo mejor es por eso por lo que me parece un poco novedad lo que estoy haciendo. Dejo ahí la mano, moviéndola. Me cuesta concentrarme y a ratos se me va la mente a otro sitio, pero ni quito la mano ni dejo de moverla. Decido parar un instante para buscar en el armario, en un cajón que Óscar y yo tenemos y al que llamamos «cajón del sexo». Ahí guardamos un antifaz, algunas cremas que hemos comprado en *sex shops*, un vibrador, una pluma para acariciar, algunas pelis porno y unas bolas chinas que me regaló en un aniversario. Que por cierto, sólo me puse una vez, porque no me gustaron nada. Aparte de sentirme muy incómoda, me daban muchas ganas de hacer pis.

El caso es que cojo el vibrador, una crema y una peli porno. La pongo en el DVD y vuelvo a la cama, ahora ya completamente desnuda. Apoyo la espalda en el cabecero, sentada con las piernas abiertas. En la película una chica muy guapa está en la cama con un negro y con un blanco. El negro tiene un cuerpazo y el blanco es bastante macarra. Lo curioso es que el blanco la tiene más grande que el negro, que ya la tiene enorme de por sí. La película es muy cutre, debe de ser de las primeras que compramos, pero da igual. Ella está satisfaciendo al negro con la boca mientras el blanco hace lo propio con ella desde atrás. Mi mano no para de moverse y, a medida que mi placer aumenta, me va excitando más la película. Ya todo me excita y no hay vuelta atrás, ya no me desconcentro. Lo he logrado.

Cojo la crema del *sex shop*. Es una que da calor y además lubrica muy bien, aunque eso ya no es necesario. Todo lo hago con la mano izquierda y, al verme tan torpe, en algún momento me desconcentro. Pero poco, la verdad. Unto los dedos y al rozarme y sentir el calor me contraigo de placer. Abandono mi espalda del cabecero y me tumbo en la cama. Primero boca arriba y luego boca abajo y luego de lado y luego boca arriba. Busco la mejor posición para tocarme por fuera mientras el vibrador me toca por dentro. Para estas cosas es mejor tener las dos manos operativas. Hay un momento que me encuentro, el sitio, la intensidad, la postura, y ahí sigo de forma constante comprobando cómo voy a más y a más hasta que ya sé que no hay vuelta atrás. Intento aguantar lo máximo posible, pero no lo logro durante mucho rato. Da igual. Me abandono y grito fuerte mientras termino.

En la película la chica sigue con el negro y el blanco a lo suyo en mi pantalla de plasma, pero ahora la escena, una vez satisfecha, es bastante ridícula, los gemidos son de risa, el negro ya no me parece que tenga tan buen cuerpo y el blanco es aún más macarra de lo que me parecía al principio. Bajo el volumen mientras voy recuperando el aliento tumbada en la cama. Me siento mejor, la verdad. Me gusta haberme provocado placer. Porque me lo he provocado literalmente. No me apetecía al principio y mira cómo he acabado. Eso me ha gustado. No quiero estar triste y hay que hacer lo posible por dejar de estarlo. Todavía desnuda en la cama oigo el móvil. Es mi madre. Dudo un momento si cogerlo o no. Pero al final es sí.

—¡Hija! ¿Cómo estás?

—Mejor, algo mejor.

—Tengo malas noticias, cariño.

Mi madre hace mucho tiempo que no me llama cariño y me sorprende. Lo hacía cuando era pequeña.

—¿Qué pasa, mamá?

—Tengo que contarte algo. ¿Quieres que vaya a tu casa o prefieres venir para acá?

—¡Venga, no me asustes! ¿De qué se trata?

—He ido a recoger los resultados de las pruebas que me hice...

Hay situaciones absurdas, crueles. Escucho a mi madre llorar mientras estoy desnuda en la cama con un vibrador al lado y una película porno sin sonido.

Mi madre me dice que me espera en su casa y yo le digo que salgo para allá en cuanto me vista.

No puedo parar de llorar durante todo el trayecto desde mi casa hasta la de mi madre. A pesar de la escayola, he cogido el coche, que es automático, y, aunque sé que está prohibido conducir así, puedo hacerlo perfectamente. Hay un señor que se me queda mirando en un semáforo porque, a pesar de las gafas de sol, no puedo disimular tanto sollozo. Además, en el aleatorio del iPod, qué casualidad, suena Bruce Springsteen, que es el cantante preferido de mi madre. A mí siempre me ha parecido un poco pesado, pero ella tiene todos sus discos y cada vez que viene a España va a verlo a algún concierto. Una vez la acompañé a uno que dio en Valladolid y nunca recuerdo haberla visto disfrutar tanto.

Ha sonado una de sus canciones lentas, no me sé el título, y al terminar la he vuelto a poner, una y otra vez. Y no puedo parar de llorar. Me duelen los ojos de hacerlo y siento una pena horrible. Es muy egoísta sufrir más por mí que por ella. Pero sufro porque la quiero. Pienso, mientras suena Bruce Springsteen de fondo, que debería existir una tecla que al pulsarla pudiéramos dejar de querer y así en ese instante dejáramos de sufrir. Porque si no se quiere no se sufre. Pero no. No se puede dejar de querer cuando se nos antoje. El amor es inevitable.

Mi madre me recibe en la puerta. Nos damos un beso y un abrazo que interrumpimos pronto porque si no va a ser imposible dejar de llorar. Me refiero a mí, porque ella está muy entera.

—He hecho café, ¿quieres?

—Espera, ya lo pongo yo. Tú siéntate.

—María, el cáncer es en la garganta. Puedo andar. ¿Solo o con leche?

Mi madre me cuenta su enfermedad y lo que le han dicho los médicos. Tarda en explicarme los pormenores, aunque, resumiendo, lo único importante es que no puede operarse y la única posibilidad que existe es someterse a un tratamiento muy agresivo de quimioterapia. Tanto que es posible que si no es el cáncer sea la quimio lo que acabe con ella. Está dudando si hacerlo o no.

—Tienes que hacerlo. Seguro que te curas.

Mi madre sonríe sin contestar mientras se sirve otro café. Me siento un poco ridícula intentando animarla.

—¿Se lo has contado a alguien más?

—No. Esta tarde llamaré a tu padre y a un par de amigas.

Hay un gran silencio en el comedor. El sonido de las cucharillas rozando las tazas de porcelana y el de éstas chocando con el cristal de la mesita de centro está demasiado presente. Enciendo la tele para tener algo de ruido de fondo. Vuelve a salir Ana Rosa Quintana, que ahora está despidiendo el programa.

—¡Qué vestido y qué zapatos más bonitos! —comenta mi madre.

—Antes, en casa, me he fijado yo también.

—¡Qué elegante va esta chica siempre!

Se acaba el programa y mi madre baja del todo el volumen. Se recuesta sobre el sofá, cruza las manos y las apoya en la tripa.

—¿Y tú qué vas a hacer? —me pregunta.

—¿Qué voy a hacer de qué?

—María, por favor, que me cuesta mucho hablar.

—¿De lo de Óscar? Pues dejarle, creo.

—¿Crees?

—¡Mamá! No sé. Ya veremos.

—¿Le vas a denunciar?

—No. Es el padre de mis hijas.

—En eso estoy de acuerdo. ¿Y cuándo le vas a decir que lo sabes?

—No lo sé. Ahora lo importante es que tú te cures.

—¡María, yo no me voy a curar!

—No digas eso más —me enfado.

—Qué más da que lo diga o no: es la verdad.

—Puedes ponerte bien. Hay mucha gente que se cura de esa enfermedad.

—Se llama cáncer. Y que yo me salve no es una posibilidad, es un milagro.

—Lo único que intento es animarte.

—Te estás animando a ti misma, no te engañes.

No soy capaz de contestarla. Lleva razón. El informe médico no deja lugar a dudas. Mi madre se va a morir por un cáncer que se ha extendido por todo su cuerpo y que no tiene solución.

—¡Cariño! —vuelve a llamarme así—. Tienes que solucionar lo de Óscar.

—Hablaré con él. Todos cometemos errores.

—Lo suyo no es un error, es un fraude. ¿No le has visto en las fotos con esa mujer?

Me callo, que es lo mismo que decir que sí. En la carpeta de los detectives que investigaron a Óscar por orden de Gene había muchas cosas, entre otras, varias fotos de mi marido con una mujer morena muy guapa, que me resultó familiar aunque tardé algún tiempo en reconocer.

—María, cariño, tienes que afrontarlo, aunque duela.

—Eso es lo que pasa, mamá, que duele. Todo duele mucho.

Mi madre abandona su sillón y se viene al mío para abrazarme. Curioso que sea ella la que me esté consolando a mí, sabiendo que se va a morir.

—¡Llevas razón, mamá! —me recompongo, finalizando el abrazo—. Voy a decirle que lo sé. Esto se ha acabado.

Y es que mi marido tiene una amante. No es sólo una aventura, eso sería lo de menos. Es que yo conozco a esa mujer. Es la mujer morena de ojos claros con un lunar perfecto en la mejilla que en Barcelona se hizo pasar por la abogada de Gene. Sí, la amante de mi marido es Rocío Hurtado.

Vemos lo que queremos ver y oímos lo que queremos oír. Eso le pasa a la gente. A otros, porque saber que eso también lo hacemos nosotros es más difícil. Hasta que te das de bruces con el espejo.

En un puente fuimos a Santander Óscar, las niñas y yo a visitar a mi padre. Llegamos a su casa un viernes por la noche para quedarnos hasta el martes, que era festivo. Ya conocíamos a Estefanía, su novia mexicana, con la que hacía poco tiempo que salía, pero a la que ya nos había presentado en una comida. Ya fue bastante para que aquella chica de mi edad no me gustara demasiado. Yo quería quedarme en un hotel, pero mi padre y ella insistieron en que nos quedáramos con ellos. Al fin y al cabo, se trataba de que Carla y Julia pasaran tiempo con su abuelo y como la casa era lo suficientemente grande como para poder estar todos a gusto, decidimos quedarnos.

Estefanía se mostró desde el principio como una anfitriona muy amable, demasiado, hasta ponerse pesada con tanto afán por agradarnos. «Vosotros ya sabéis, si necesitáis algo, como si estuvierais en vuestra casa». Ésta es una frase que dicha una o dos veces es de agradecer, incluso tres es admisible si tu anfitrión es muy amable. Pero si a cada hora escuchas el «ya sabéis, vosotros como si estuvierais en vuestra casa», tres veces cada media hora y al tiempo que la dice te va persiguiendo allá donde vayas y además te toca el brazo cada vez que la pronuncia con un dulce acento mexicano, la amabilidad acaba sacándote de quicio. Yo, al segundo día, después de escuchar por enésima vez la frasecita y con Estefanía tocándome suavemente el brazo, exploté con un sonoro: «¡Coño, que sí!». Aparté el brazo de sus manos y me fui por el pasillo suspirando por no gritar. Estefanía se quedó muy sorprendida ante mi reacción, pero es que no se puede ser tan pesada. Ésa es otra de mis manías. No soporto a los pesados. Ser pesado es para mí el peor defecto de una persona porque oculta cualquier otra virtud que pueda tener. Todo el mundo conoce a algún pesado o pesada y si no lo conoce, es que el pesado es él. Las cosas han de decirse una vez, a lo sumo dos, por si tu interlocutor estaba despistado. Si repites algo más de tres veces, eres un pesado. Pedí disculpas a Estefanía un poco más tarde. Intenté justificarme diciéndole que estaba algo nerviosa por cosas del estudio y de ahí mi reacción, si bien le insistí en que no se preocupara por mí y que de verdad, de verdad, yo me sentía como en mi propia casa.

Quizá fue ese incidente lo que hizo que no reparara en nada más de lo que sucedió aquel fin de semana, pero ahora no sé por qué, recordándolo, creo que aquella pequeña discusión entre la mexicana y yo no fue el motivo de que adelantáramos nuestra marcha al domingo muy temprano, cuando el plan era quedarnos hasta el martes. Con Óscar también discutió el sábado por la noche, según me contó cuando vino a la cama.

Yo me fui a acostar un poco antes y ellos se quedaron hablando en el salón. Yo estaba durmiendo, así que no los escuché, pero cuando Óscar llegó a la habitación me dijo que Estefanía quería que nos marcháramos de allí lo antes posible. Y eso hicimos. Al día siguiente, madrugamos y salimos de la casa de mi padre y su mujer sin ni siquiera desayunar. Me dio pena por mi padre, que se quedó un poco triste despidiéndonos, pero lo hablamos días después y aquel fin de semana quedó olvidado para siempre. O no del todo, porque yo ahora me estoy acordando de lo que pasó y hay cosas que no me cuadran. Debe de ser porque solemos ver lo que queremos ver y oímos lo que queremos oír.

—¡Hola, Antonio! —es mi padre el que coge el teléfono fijo de su casa en Santander.

—¡Hola, María! ¿Qué tal estás?

—Muy bien. ¿Y tú?

—Aquí tirando, pero bien. ¿Cómo está tu madre?

—Se encuentra bien, a pesar de todo.

—La verdad es que está muy entera. Luego la llamaré. Llevo un par de días que no hablo con ella.

—¿Está Estefanía? —le pregunto cambiando de conversación.

—¿Estefanía?

—Sí. Quiero hablar con ella.

Mi padre se sorprende mucho, como es natural, de que yo quiera hablar con Estefanía y me advierte que no quiere problemas.

—No te preocupes —le tranquilizo—, te aseguro que no vamos a discutir.

La mexicana tarda en ponerse un rato, supongo que mientras se repone de la sorpresa que le debe de haber supuesto mi intención de querer hablar con ella.

—¿Diga?

—¡Hola, Estefanía! ¿Qué tal estás?

—Bien, bien —dice sorprendida.

—¿Qué pasó aquel fin de semana?

—¿Cómo? —dice aún más sorprendida.

—¿Por qué dijiste que querías que nos marcháramos de allí?

—Ya ha pasado mucho tiempo. Dejémoslo estar.

—Creo que no fue por la discusión que tuvimos tú y yo, ¿verdad?

—¡Qué más da! —insiste en no remover más las cosas.

—¡Cuéntamelo, por favor!

Duda, pero finalmente lo hace.

—Fue muy incómodo desde que llegasteis. Al principio, creí que Óscar estaba siendo muy amable, pero poco a poco me di cuenta de que sus intenciones eran otras. Por eso yo intentaba estar todo el rato pegada a ti.

—¡Claro, claro! —le digo, comprendiéndola.

—No sé cómo no te dabas cuenta.

No le contesto porque yo tampoco tengo respuesta a eso.

—El sábado —continúa—, cuando te acostaste y él se quedó, me acosó en la terraza, me propuso ir a una habitación y... llegó a tocarme... hasta que me zafé de él... En fin, fue tan incómodo...

—Lo entiendo.

—María, yo jamás te lo hubiera contado. Lo hago porque me lo has preguntado.

—No te preocupes. ¿Mi padre sabe esto?

—No.

—Mejor así.

El mundo ha cambiado en los últimos cuatro o cinco años tanto que cada uno de nosotros ya no somos como éramos. La crisis nos ha golpeado y, como los boxeadores aturdidos después del golpe, danzamos por el *ring* intentando no caer y sin saber muy bien qué pasa. Yo no sé qué ha pasado. Muy poca gente lo sabe y en ese selecto grupo no están los políticos ni los economistas de andar por casa que nos explican causas y soluciones cada mañana, tarde y noche en la televisión y la radio. En la palabra «crisis» hemos intentado resumir todo lo que nos está pasando, pero lo que nos ocurre es demasiado para que quepa en una sola palabra, en un solo concepto. «Crisis» es «cambio», según el diccionario, pero esta crisis es también miedo. Sobre todo miedo.

Puente no va bien. Está a punto de esfumarse el sueño que una vez tuve y logré y ahora sé que debo ir hacia otro sitio. Ojalá pudiera sentir que la crisis es cambio, porque ahora lo único que noto es miedo.

El director del banco ya me dijo por teléfono que era una grata sorpresa recibirme. Al principio, cuando le llamé, no sabía quién era yo, porque desde que abrí las cuentas hace años no he vuelto a pisar la sucursal. De todo lo relacionado con los bancos se ocupaba Óscar, así que es normal que no me conociera.

El director se llama Severiano Esquinas y me trata con una amabilidad un poco exagerada. Le expliqué por teléfono que nuestra cita tenía que ser muy discreta y que ni siquiera mi marido debía saber que iba a ir a verle. Severiano parece un hombre discreto y no hace demasiadas preguntas. Mejor. Quiero que me informe del estado de todas mis cuentas y que me especifique los plazos para pagar la deuda que ha contraído Puente. Se ha tomado muy en serio lo de la discreción y ha cerrado la puerta de su despacho diciéndole a una de las empleadas que nadie le moleste si no es muy urgente.

Severiano teclea en su pantalla y me informa de las cantidades que hay en mis dos cuentas personales. Nada significativo, todo está en orden. Miramos las de Puente. Son tres, cuyos movimientos me explica por encima. Es un lío enorme, pero el normal, me asegura, para una empresa de ese tamaño. Severiano no ve nada irregular en todo lo que aparece en la pantalla. Ellos están en permanente contacto con Óscar y los asesores de Puente y todo está en orden.

—Entonces, ¿todos los movimientos le parecen normales? —pregunto.

—Señora Puente, el volumen de su empresa es muy grande como para poder observar irregularidades en esta pantalla. Puede hablarlo si quiere con los asesores que tiene en su empresa, pero le aseguro que su situación bancaria es normal.

—Me da usted una alegría.

—Pues me alegro de dársela.

—Entonces, hablemos del préstamo.

—¿A qué préstamo se refiere?

—Pues al préstamo que nos vence ahora por la compra de los terrenos.

—Discúlpeme, pero no me consta que usted tenga ningún préstamo con nosotros.

—No hablo de mí. Me refiero al préstamo de Puente.

—Puente tampoco, salvo las líneas de crédito habituales.

—A ver, Severiano —le llamo la atención—. ¿Puente no tiene una deuda con este banco de cuatro millones de euros?

—¿De cuatro millones de euros? —exclama.

—Sí, eso fue lo que me dijo mi marido.

—Señora, eso no es así. Ni usted ni su empresa deben nada a este banco.

He llamado al director de la agencia de detectives que investigó a Óscar por orden de Gene y le he dicho quién soy. Ha querido recibirme en su despacho para contarme de primera mano en qué consistió la investigación. En la agencia no sabían que Gene había muerto. He sido yo la que le he dado la noticia al director.

Las agencias de detectives no son como las que aparecen en las películas y los detectives tampoco. Por lo menos éste. No es que me esperara un tipo con gabardina y sombrero fumando, pero tampoco un señor tan enclenque dirigiendo un negocio de este tipo. Se llama Carlos Villasante y debe de medir escasamente un metro sesenta, y además es muy estrechito de cuerpo, con gafitas redondas de pasta negra y vestido con un pantalón vaquero y una camisa blanca. Es de esos tipos a los que siempre parece que la ropa le viene grande.

—El señor Dawson nos contrató para investigar a su marido. Nos contó que en el estudio, a pesar de ser de usted, era él quien manejaba todas las finanzas. El señor Dawson iba a invertir mucho dinero en su empresa y quería estar seguro de que su esposo era de fiar. Primero supimos que tenía una amante, pero la gran sorpresa llegó cuando supimos quién era realmente. ¡Vaya prenda!

—Ya vi algo en su informe.

—Ha estado varias veces en la cárcel por distintas estafas, suplantación de personalidad, falsificación...

El detective y yo repasamos la fecha en la que Gene estuvo en la agencia por última vez. Le dijo que iba a revelarme toda la verdad. Sólo un rato después debió de tener el accidente.

—¿Y a qué vino aquí ese día?

—A pagarnos los honorarios de la investigación. Nos dijo que había quedado con usted y que llegaba tarde. Liquidó la factura de la investigación y se marchó.

—A mí me llamó para decirme que se retrasaba un poco, que estaba reunido.

—Pues estaba reunido conmigo. Se despidió de mí y me dijo que iba a contarle por fin a usted que era su padre y todo lo que nosotros habíamos descubierto de Óscar.

Beso a Eugenio, que llega a la cafetería en la que hemos quedado con un traje un poco más llamativo de lo que en él suele ser habitual. Es de cuadros azul oscuro, precioso. Y azul más claro con lunares es el pañuelo que lleva en el bolsillo de la chaqueta. La camisa blanca tiene el cuello duro y los picos algo largos, que luce abiertos sin corbata. Está muy guapo. Bueno, mejor y más preciso sería decir que está muy bueno. Por un momento siento rabia de que esta cita en esta cafetería no sea para después subir a la habitación de un hotel y tomarnos una botella de champán antes de acostarnos. Pero ahora no estoy para eso.

—¡Qué guapo!

—¡Gracias! —me contesta—. ¿Y tú cómo estás?

—Tirando.

—Cuéntame.

Y eso voy a hacer. Para qué andarme por las ramas si todo lo que me pasa está tan elaborado en mi interior que es absurdo darle muchas vueltas. Bebo un trago de cerveza un poco más grande de lo normal y se lo cuento todo de seguido.

—Mi madre tiene cáncer de garganta y se va a morir muy pronto, mis hijas tienen problemas y mi marido y su amante me han querido estafar.

Cuando termino, le doy a la cerveza otro trago largo y me la acabo. Eugenio tarda en reaccionar. También él bebe hasta que rompe el silencio.

—¡Joder, María!

Y vuelve a callarse. Yo no digo nada, hasta que él vuelve a hablar.

—No sé qué decir.

Vuelve a beber. Acaba su cerveza y pedimos dos más.

—No te preocupes —le digo—, no tienes que decir nada. Sólo quiero que estés a mi lado.

—Eso ya sabes que siempre será así.

Repasamos con más detalle cada una de las cosas que me pasan y que le he contado tan de corrido, como la sinopsis de las contraportadas de los libros. Le doy detalles de la enfermedad de mi madre y de cuánto me sorprende su entereza. Le cuento lo mucho que me preocupa que Carla y Julia tengan problemas. Por último, le desvelo el plan que tenían Óscar y su amante para estafarme.

—Ellos sabían que Gene era mi padre y que me iba a dejar cuatro millones de euros. Y entre los dos urdieron un plan para quitármelos a través de una deuda ficticia.

Eugenio pone cara de haberse perdido, algo que no tarda en reconocer.

—No lo entiendo.

—Es muy sencillo: yo heredo los cuatro millones y los ingreso en la cuenta de Puente. Estando allí, Óscar, que tiene poderes para disponer de todo en la empresa, me hace creer que ese dinero irá destinado a pagar una deuda por la misma cantidad.

Eugenio bebe un trago de cerveza y asiente, ya parece entenderlo.

—Yo —continúo— creo que he empleado el dinero en pagar la deuda, pero como ésta no existe, él se lo queda.

—¡Qué cabrón! ¿Pero estás segura?

—Completamente. Tengo todas las pruebas.

—¿Y qué vas a hacer?

—Dejar a Óscar y cambiarlo todo.

Llamamos al camarero y pedimos algo de comer. Son las siete, así que si pico algo ahora ya me vale de cena. Pido un pincho de tortilla y compartimos una ración de jamón. Él pide también otro pincho y media de queso.

—Estás muy guapo.

—Ya me lo has dicho. Gracias otra vez.

—Me encanta el traje.

—Sí, es nuevo. Un poco atrevido, ¿no crees?

—Y ese pañuelo de lunares te queda muy bien.

—Me lo han regalado.

—¿Quién?

—Una amiga.

—¿Y eso?

—Pues una amiga. Se llama Clara.

—¡Ah! ¿Y es arquitecta?

—No, qué va. —Se ríe—. Trabaja en la tele.

—¿En la tele?

—Sí. En una productora de televisión. Tiene tres hijos, dos niños y una niña.

—¡Pues qué bien!

—Sí, la verdad es que estoy muy contento. Es una mujer maravillosa.

—Seguro que sí.

—Hace unos años perdió a su hermana, María se llamaba, a la que estaba muy unida. Lo debió de pasar mal, pero es que es alguien muy especial.

Eugenio se pasa todo el tiempo que dura nuestro pincho de tortilla hablándome de la tal Clara. Sí que debe de ser alguien especial, pero yo me estoy poniendo celosa. Es increíble cómo los hombres nunca se dan cuenta de estas cosas. Él sigue a lo suyo, con Clara por aquí y Clara por allá.

—Pues a ver cuándo me la presentas. ¡Camarero, la cuenta por favor! —concluyo.

—Vente ahora, he quedado con ella. Así la conoces.

—No. Hoy no tengo ganas.

165

Mi madre ha decidido no someterse al tratamiento de quimioterapia. Cuando me lo ha dicho por teléfono, le he echado una bronca y después hemos llorado. He intentado convencerla, porque, aunque sea un milagro, quiero que lo intente hasta el final. Le he reprochado que no lo haga, pero la entiendo, porque posiblemente en su lugar yo haría lo mismo: «No pienso pasar por ahí para durar tres meses más. Yo calva debo de estar horrible».

Según los médicos, hay más o menos un mes por delante en el que, con calmantes para evitar dolores, tendrá facultades para poder llevar una vida casi normal. Después de transcurridas esas cuatro o cinco semanas muy posiblemente ya no podrá ni caminar, los dolores se harán cada vez más intensos y no mucho después morirá. Es una espantosa carrera contrarreloj que mi madre ha decidido vivir con normalidad. Dice que intentará cerrar algunas cosas pendientes de su vida, pero, sobre todo, quiere disfrutar de las normales, dice. Sus porritos de marihuana, su *gin-tonic*, su música y darle muchos besos a sus nietas. Todos los que sea capaz de darles sin llorar.

Lo único que le quita el sueño es que yo solucione lo que tengo que solucionar, que coja «el toro por las riendas». No he dicho todavía que mi madre los refranes y los dichos populares no los dice nunca bien. Unas veces los cambia y otras los mezcla, el caso es que no da ni una. «Hay que coger el toro por las riendas», «No hay bien que de un mal no venga», «Que cada vela se aguante con su palo», y así todos. Pues eso, su mayor preocupación es que yo coja el toro por las riendas y deje mi vida ordenada. Ella y yo sabemos que se necesita más de un mes para eso, pero «nunca es tarde que cien años dure».

Hoy he acompañado a las niñas a su sesión con el psicólogo. He conocido a Rosario, que es un hombre muy grande. No es que sea muy alto, que también, es que es muy grande. No está gordo, pero es muy ancho de todo. De espaldas, de pecho, hasta de caderas y de piernas. Creo que de perfil ocuparía lo que una persona normal de frente. Desde luego, no tiene pinta de ser psicólogo y mucho menos de llamarse Rosario.

Me dice que las niñas están respondiendo bien y me cuenta, por encima, lo que ya le dijo a Óscar. Carla y Julia no tienen todavía un problema serio, pero hay que tratarlas porque si no, inevitablemente, lo acabarán desarrollando. Le pregunto por qué les pasa eso y me responde que no hay una sola causa, que las pautas del comportamiento humano no pueden resumirse en una sola causa-efecto. Lo dice, como los argentinos dicen las cosas, con ese acento que te convence de lo que no entiendes.

Me recomienda que pase a verle con más tiempo para hablar de las niñas y de mi relación con ellas. Saca una agenda y fijamos una hora. Tenemos un hueco pasado mañana, así que fijamos nuestra cita para las doce. Me da paz Rosario, me dan ganas de seguir hablando con él, pero ahora les toca a las niñas. Yo las esperaré tomando un café. Llevo días con ganas de hacer una llamada, así que voy a aprovechar.

Quiero hablar con Blanca Ríos. Quiero preguntarle algo.

—¡Diga!

—¡Hola Blanca, soy María Puente!

—Hola, María —me saluda con sorpresa.

—Tengo ganas de preguntarte algo desde la última vez que hablamos.

—Ya te dije que en aquel artículo no había nada personal, que simplemente era una valoración de tu trabajo.

—No, si ya me acuerdo. No quiero hablar del artículo, tengo otra duda.

—¿Qué duda?

—Tú me reprochaste haber cogido un camino fácil. ¿Qué me quisiste decir con eso?

—Mira, María, no quiero discutir —insiste—. Si te molestó aquello, te pido disculpas otra vez, pero...

—No —la interrumpo—, quiero que me lo expliques de verdad. No es para discutir.

—Pues que creo que llevas mucho tiempo haciendo lo mismo en tus construcciones. Y yo no digo que esté mal, pero tú deberías jugártela para ser realmente grande. Creo que, aunque tienes éxito, tu arquitectura debería ser mucho mejor.

—¿Dónde trabajas ahora?

—Ya sabes. Opté por la decoración y escribo para *Planos*.

—¿Y te va bien?

—No me puedo quejar.

—Quiero contratarte.

—¿Cómo?

—Lo que has oído.

—¿Me estás tomando el pelo?

—Estoy hablando muy en serio. Quiero que volvamos a trabajar juntas.

—¿Seguro que no es una broma?

—Seguro. Quiero darle un nuevo aire a Puente y creo que puedo necesitarte.

Me ha costado mucho dormir con él sabiendo lo que sabía. Así he estado muchos días, aparentando normalidad, para no darle pistas de mis sospechas hasta que por fin he descubierto su engaño. Estoy muy nerviosa porque ha llegado el momento de decirle que lo sé. Creo que la rabia me va a ayudar, porque como me instale en el dolor que me produce su engaño no seré capaz de articular palabra.

Estoy nerviosa, tanto que tengo que gritar porque me cuesta hasta respirar. Lo hago en el coche, mientras conduzco hasta casa. Me está esperando. Le he dicho que me apetecía estar a solas con él, que me esperara con una buena botella de vino. Como llevamos un tiempo sin ni siquiera rozarnos, él cree que nos vamos a ver para otra cosa.

Tengo muy claro lo que tengo que decirle y se lo voy a decir de manera pausada, mi discurso ha de ser maduro. Así se sorprenderá aún más.

Antes de girar la llave para abrir la puerta respiro profundamente para intentar deshacer los nervios que me presionan en un mismo punto del estómago y hasta me impiden tragar saliva. Cuento hasta tres y por fin lo hago, giro la llave y abro la puerta de casa. Desde el salón escucho a Óscar.

—¡Cariño! Pasa, estoy aquí.

Dejo las llaves en el platito que hay en la entrada y me dirijo al salón. Voy a ser capaz de estar lo suficientemente fría para decírselo claramente. Creo que sí, estoy muy entera. Entro en el salón y Óscar está sirviendo dos copas de vino. Viene hacia mí para besarme.

—¡Hola, María! ¡Qué guapa!

—¡Guapa, los cojones!

Es la única frase que se me ocurre decir y además la digo gritando antes de ponerme a llorar con rabia. Quiero contenerme, pero no soy capaz. Toda mi entereza se ha difuminado a la primera. Encima, Óscar quiere consolarme.

—¿Pero qué te pasa, cariño?

—¡Cariño, los cojones!

Y vuelta al llanto. Me está dando un poco de vergüenza mi actitud, pero es que no puedo parar de llorar. Y lo hago sollozando con suspiros sonoros. Creo que si no estuviéramos en medio de este drama mi llanto daría muchísima risa. Tengo que lograr reponerme porque se lo tengo que decir. Bebo un trago de vino, respiro y...

—¡Lo sé todo!

—¿De qué hablas?

—No te hagas el tonto, que no te va a servir de nada.

Óscar se sirve más vino y yo sigo bebiendo del mío. Me tranquilizo de una manera sorprendente, será porque ya no hay vuelta atrás. Él permanece en silencio, creo que está sorprendido de que yo tenga toda la información. Así que voy a seguir.

—Sé que ella es tu amante —le digo mientras tiro encima de la mesa las fotos en las que aparece con Rocío.

—¿Cómo? —dice atónito—. ¿Me has estado siguiendo?

—¿Eso es lo único que te preocupa? —le contesto indignada—. He descubierto vuestra estafa y quiero que sepas que no vais a ver ni un euro.

—No sé de qué me hablas...

—¿Cómo puedes tener tan poca vergüenza para negarlo? —me impongo—. Ella ha estado en la cárcel por estafa y eso queríais hacerme a mí. Estafarme.

—¡María, yo te juro que...!

—¡Calla! Y ten un poco de dignidad.

Y eso hace, callarse de repente. Óscar se ha quedado aturdido de una forma en la que yo no le había visto jamás. Él, siempre tan seguro de sí mismo. No le reconozco así, tan pequeño, tan cobarde.

—¡Pero qué imbécil he sido! —dice, desplomándose en el sofá.

—¡Y qué cabrón! —incido.

—María, ha sido un error, pero yo...

—¡Pero nada! —grito con tanta rabia que le hago callar—. ¡Escúchame! Eres el padre de mis hijas, así que no

173

voy a denunciarte con una condición. Haz la maleta, márchate de esta casa y no vuelvas ni por aquí ni por el estudio. Ya te llamaré para acordar las visitas de las niñas. Tienes media hora. Cuando vuelva no quiero que estés aquí.

Sin dejarle hablar me marcho de casa dando un portazo y me monto en mi coche, que está en la puerta. Como si estuviéramos en una película, Óscar sale detrás de mí llamándome y ofreciéndose a explicarme su mentira. No le hago caso y arranco dejándole con ese «María, déjame que te explique...» en la boca que a mí me suena tan patético.

Me marcho de allí, más deprisa de lo que debiera. Estoy muy excitada por la bronca, tanto que tardo en darme cuenta de lo que acabo de hacer. La rabia suele ser un sentimiento que atenúa el dolor de la tristeza. Yo reconozco muy bien ese dolor porque me he pasado la vida huyendo de él. Me da miedo enfrentarme a la pena. Pena por el engaño, por mis niñas, porque fue mentira y porque le quiero. Dónde estará esa maldita tecla que no podemos pulsar para dejar de querer a nuestro antojo.

Eugenio no está de acuerdo en marcharse, pero me he empeñado e irá. Le he pedido que vaya a Nueva York para traerse todos los enseres de Gene. Los muebles y las obras de arte. La casa está a punto de acabarse y para decorarla quiero utilizar muchas de las cosas que había en el apartamento de Manhattan. Ahora, sin Óscar, tengo que estar casi todo el tiempo con las niñas cuando salgo del estudio y, además, con mi madre así yo no puedo desaparecer. He hecho unos poderes para que Eugenio pueda traerse todo a España. Naturalmente, ya están al corriente en Skadden. William Smith estuvo tan amable como siempre. Asegura que no habrá problemas. La mudanza será cara y más con los seguros obligatorios para el transporte, pero merecerá la pena. Ya he hablado con Blanca Ríos para que me ayude a decorar la casa cuando los muebles estén aquí. Sé que van a encajar muy bien en la nueva casa. Sobre todo, van a encajar muy bien conmigo.

Y yo que, a todo esto, estoy celosa. He llegado a pensar que quiero que Eugenio se vaya a Nueva York para que se separe de la tal Clara. Pero no. Su viaje a Nueva York es muy necesario para mí, necesito traer todo lo que tenía Gene. Naturalmente, nadie, y menos que nadie, él, sabe de mis celos. Me esfuerzo tanto en disimular que esta misma noche me va a presentar a Clara. Primero hemos quedado él y yo a tomar algo para ultimar el viaje y después vamos a cenar con ella en un restaurante japonés al que Eugenio quiere invitarnos: a veces los hombres son, inevitablemente, hombres. He dicho que sí a esa cita, faltaría más, después de decirme que era muy importante para él. Y allá vamos en el taxi camino del japonés donde voy a conocer a Clara. Espero ser capaz de ser amable, como lo sería de no importarme.

Eugenio y yo pedimos unas cervezas japonesas porque Clara no ha llegado todavía. A mí la cerveza me gusta de barril y bien tirada y por eso me dan rabia los restaurantes en los que no hay grifo de cerveza. Hace frío en el restaurante, yo no sé qué les pasa con el aire acondicionado. No entienden que se inventó para no pasar calor, no para morirte de frío. Y las mesas. Qué manía de poner las mesas tan juntas, que el de al lado se entera de todo lo que dices y...

—¿Qué te pasa? —pregunta Eugenio, sacándome de mis pensamientos—. ¿Estás a disgusto por algo?

—No, no, qué va. Estoy fenomenal.

—¡Mira, ahí está! —dice Eugenio señalando la puerta.

Es Clara, que llega hasta nuestra mesa. Eugenio se levanta y le da un beso en los labios. Yo también me levanto. Mi amigo nos presenta y Clara y yo nos damos los dos besos de rigor.

—¿Lleváis mucho tiempo esperando? —pregunta Clara.

—La verdad es que sí —digo de manera impertinente.

—¡Qué va! Si acabamos de llegar —me corrige Eugenio, que me mira raro.

Voy a tener que contenerme. Tranquila, todo está bien. Vamos a cenar y me voy a comportar como una persona adulta, que es lo que soy. Ella pide una cerveza y nosotros repetimos ronda mientras leemos la carta. Clara tiene más o menos mi edad, unos cuarenta. Es guapa, pero no muy alta. No es una mujer delgada, pero está bien de tipo. Eso sí, tiene eso que tienen las personas a las que crees conocer, lo que pasa con las canciones que oyes por primera vez y ya parece que las has oído antes. Ésas son las buenas. Las canciones y las personas. Y no sé por qué, pero esta chica tan normal me da la sensación de que ya la conocía de antes.

Pedimos sobre todo sushi y algunos platos más sofisticados, uno de ellos una especie de carne a la plancha que es una de las cosas más ricas que he comido en mi vida. La cena está entretenida. Hablamos del estudio, Eugenio cuenta algunas anécdotas de clientes caprichosos y de otros que del capricho pasaban a las tonterías de mal gusto, como aquel iraní que nos pidió que le hiciéramos una piscina con la grifería de oro. Eugenio cuenta, poniéndome a mí como a una heroína, cuando, sin cortarme un pelo, llamé paleto al iraní y le dije que la piscina se la terminase otro. Clara se ríe y se interesa por nuestro trabajo. Le gusta la conversación, aunque no sé por qué y, sin conocerla, apostaría a que le pasa algo.

—¿Y qué tal tu día? —le pregunta Eugenio.

—Los he tenido mejores, la verdad —contesta Clara.

—Me ha dicho Eugenio que trabajas en la tele —le digo yo.

—Sí. Bueno, trabajaba.

—¿Cómo? —se sorprende Eugenio.

—Déjalo, Eugenio, que no quiero hablar de eso, que os voy a estropear la cena.

Clara es casi incapaz de acabar la frase mientras se le llenan los ojos de lágrimas. Bebe un poco de agua y se rehace.

—Venga, sigamos hablando, que si no, no voy a poder parar de llorar y fíjate qué panorama.

—No te preocupes —le digo de verdad.

—¿Pero qué ha pasado? —se interesa Eugenio.

—Me han despedido. Hace menos de dos horas. La verdad es que no sé qué hacer.

—¿Y eso por qué?

—La crisis. Está todo fatal con la puta crisis.

—¿También en la tele?

—Como en todos los sitios. Yo llevaba un montón de años en la productora. Y ahora a la calle.

—¿Y cómo estás? —la pregunta de Eugenio es absurda.

—Con miedo —la respuesta de Clara me conmueve—, porque no sé qué va a pasar. Tengo tres hijos, mi ex no trabaja, y yo tengo una hipoteca, los colegios...

—Siempre puedes encontrar otra productora —intento animarla.

—Es posible, pero tengo casi cuarenta años y tal y como están las cosas es más barato contratar a una de veinte que cobra la mitad y que no tiene que faltar porque tiene que llevar a los niños al pediatra.

—Bueno, ahora tienes el paro.

—De momento sí, algo es algo. Mañana iré a por los papeles.

Escucho a Clara y a su realidad tan alejada de la mía y no sé por qué la siento cercana. Me gusta esta chica, no puedo evitarlo a pesar de que esté con Eugenio. Es imposible que Clara no te guste. Llevaba razón Eugenio, es alguien muy especial.

—¿Sabes lo que vamos a hacer? —le dice Eugenio.

—¿El qué? —responde Clara.

—¿Tienes con quién dejar a los niños una semana?

—¿Una semana? —se sorprende—. Pues podría hablar con mi madre para que se quede con María. María es la pequeña, se llama como mi hermana —me informa—. Y llamar a Luisma, Luisma es mi ex —me sigue poniendo al día—, para que se quede con Mateo y con Pablo, que son los mayores, pero...

—Pero nada, está decidido —se entusiasma Eugenio—. Te vienes conmigo a Nueva York. Yo te invito.

—¡No! —dice Clara.

—¡No! —digo yo, que se me escapa.

—Ojalá —continúa Clara—, pero no puedo desaparecer de aquí. Y menos ahora...

Si soy sincera, me alegro mucho de que Clara no pueda ir. Es posible que sea verdad que le he pedido a Eugenio que se vaya a Nueva York, entre otras cosas, para separarse unos días de Clara. Me siento un poco mal por eso, pero no puedo evitarlo.

—¡Qué lástima! —dice Eugenio.

—¡Qué lástima! —repito yo.

—Aunque, en realidad —Clara pone tono de ver alguna posibilidad—, yo nunca he estado en Nueva York y...

La duda de Clara me está poniendo nerviosa.

—No hay mucho que ver allí —digo sin pensar.

—¿Pero qué dices? —me corrige Eugenio un poco enfadado.

—¿Sabes qué te digo? —se rehace Clara—. Que sí. Que me voy contigo. Dentro de una semana ya veré qué hago. Una oportunidad así no creo que pueda tenerla en mucho tiempo.

—¡Pues brindemos! —se exalta Eugenio.

—¡Por Nueva York!

En las dos sesiones que he tenido con Rosario hasta ahora hemos acabado discutiendo. Bueno, él no. Ése es el problema, que no se inmuta. Que se empeña en hablar de mí cuando yo era pequeña, que si mi madre, que si Antonio, que si la ausencia del padre... y yo le digo que eso no tiene nada que ver con lo que me pasa y él a lo suyo. Yo creo que este psicólogo a mí no termina de entenderme. Cree que yo soy una neurótica al uso y me suelta el mismo discurso que a cualquiera. Ya lo había visto en algunas pelis de Woody Allen y ahora comprendo lo que quería decir.

El caso es que Rosario me desespera un poco. Él coge un camino y no lo suelta. Me pregunta por una cosa, yo se la cuento y él me hace preguntas rarísimas que no tienen nada que ver con lo que yo le he contado. Definitivamente, no me entiende. Otro empeño que tiene es que yo le hable de Óscar y yo de Óscar no quiero hablar.

Eso sí, reconozco que cuando habla de Carla y Julia todo tiene más sentido. Por eso voy a seguir. Ellas están mejor y eso es lo importante. Necesitan venir y más ahora con su padre fuera de casa.

—¿Han establecido ya un régimen de visitas?

—El que diga el juez en su momento. Yo con ese señor no voy a hablar nunca más.

—María, suele ser beneficioso en un proceso de separación llegar a un acuerdo amistoso.

—Eso es imposible.

—Puede hacer lo que le dé la gana, simplemente reflejo que sería por el bien de las niñas.

—Por el bien de las niñas es posible que lo mejor sea que no lo vuelvan a ver.

—Él es su padre.

—Él es una mala persona.

—¿Usted cree? —me pregunta.

—¿Qué pregunta es ésa? —me desespero—. Ya le he contado lo que me ha hecho.

Los abogados del estudio me aconsejan que tenga cuidado al despedir a Óscar. Para ellos no existen motivos para que sea un despido procedente, así que, con su antigüedad y su sueldo, si nos demanda puede salirnos muy caro. Aquí ya sabe todo el mundo que Óscar y yo estamos separados, algo que no me importaría lo más mínimo si no fuera porque la gente cree que se trata sólo de un asunto de cuernos. Eso sí, ya le he dicho al abogado que no se preocupe porque Óscar no nos va a demandar. Si lo hace, el denunciado será él, así que se va a estar quietecito.

He tranquilizado a los abogados y he ordenado que le paguen hasta el último día que trabajó, pero nada de indemnización. Ni un euro. Ahora no para de llamarme y de enviarme mensajes, pero yo no pienso hablar con él. Son muchas cosas las que he de rehacer en mi vida, pero hay una que tengo muy clara. Después de lo que ha pasado, Óscar no puede estar en ella.

La mudanza de los muebles de Gene la vamos a hacer por barco. También podría hacerse por avión, pero es demasiado caro y no merece la pena. Por barco tarda en llegar seis semanas, tiempo que aprovecharemos para rematar la casa. Eugenio lo ha organizado todo desde allí y mañana mismo volverá junto a Clara a Madrid. He pensado estos días en ellos juntos en Nueva York y me he puesto celosa. A veces sigo pareciendo una adolescente, porque tener yo celos ahora con la que tengo encima no deja de ser un poco absurdo. No es ni normal ni maduro.

El otro día tuve un sueño. Yo había diseñado una urbanización en la que había construido dos casas. Una la habían sacado en varias revistas de arquitectura por su espectacularidad. Era una maravilla, con espacios muy abiertos, techos altísimos, salones a doble altura y un gran jardín con una piscina hecha de espejos. En esa casa estábamos organizando una fiesta muy divertida con un montón de invitados, todos sorprendidos por la belleza de la construcción, de la que hablaban maravillas. Yo estaba feliz mostrándola, enseñando cada detalle y todos admiraban mi obra.

La otra casa era distinta, no la recuerdo bien porque apenas salía en el sueño. Creo que no era tan bonita, pero me parece que dentro estaban las niñas y mi madre. Hay un momento en el que abandoné la fiesta para ir hacia la otra casa y cuando estaba a punto de entrar, me desperté. Estoy dándole vueltas al sueño y cuando venga al caso se lo voy a contar a Rosario para que me lo interprete, que para eso es mi psicólogo.

Me da miedo la enfermedad de mi madre. A veces tengo la tentación de querer olvidarla, como si no existiera. Morirse siempre te pilla mal, da igual si te mueres de repente en un accidente de tráfico, por ejemplo, o si sabes con antelación que vas a morirte. Yo prefiero que... Yo no sé lo que prefiero. Si morirme de repente o saber que me queda poco tiempo. Nunca lo había pensado y pensarlo ahora me da miedo.

Eso me ha dicho mi madre, que a veces durante el día se le olvida lo que va a pasar, pero por las noches tiene un miedo insoportable. No duerme apenas y se pasa horas paseando por la casa sola hasta que definitivamente le vence el sueño. Le he dicho que se venga conmigo, que aquí estará mejor. Ella no quiere y yo tampoco me atrevo a insistirle. Me da miedo verla morir. Aparte de

185

la pena, de pensar que aún le quedaba mucho por vivir y de lo que me entristece quedarme sin ella.

Ahora no sé muy bien cómo actuar. La llamo por teléfono todo el rato, un montón de veces al día. Y no le digo nada la mayoría de las veces, otras le digo que la quiero y según pronuncio esa frase ya estamos llorando las dos. Todo el día me paso con ganas de abrazarla, aunque cuando la veo no lo hago tanto. Y las niñas, que no saben nada de lo que pasa, pero algo notan, porque cuando la abrazan lo hacen de otra forma, como aprovechando el abrazo, como si supieran que quedan pocos que darle a la abuela Nesta. Me muero de pena y por eso tengo la tentación de olvidar lo que pasa. Querer es tan doloroso, tan inevitable.

Como arquitecta, siempre me he reído de que las casas tengan alma. Es una frase que siempre me ha parecido muy cursi. Las casas tienen paredes, techos y suelos, y el alma la aportará quien viva dentro. Es verdad y mentira mi pensamiento. Cuando veo la casa de Gene, creo que las casas respiran. Tengo esa fantasía, como si de los poros de estas paredes, de la madera de los suelos, de las puertas saliera vida. Esta casa se parece más a las que quiero hacer que a las que he hecho hasta ahora. Eso lo sabía desde que Gene me la planteó en su día, pero ahora que está casi acabada creo que esta casa es un nuevo camino.

He quedado con Blanca Ríos. Prefiero hablar con ella aquí que hacerlo en el despacho. Quiero abrir una nueva línea de interiorismo y quiero que sea ella quien la dirija.

Nada más abrir la puerta noto su cara de sorpresa, que continúa mientras recorremos toda la casa. Me dice que desde fuera no se adivina cómo es por dentro. Es verdad, el exterior tiene mucho de la arquitectura que he hecho hasta ahora, pero cuando entras los espacios son muy distintos a los que suelo diseñar. El interior es acogedor, un concepto al que nunca he prestado mucha atención. Gene estaba obsesionado con que el salón no pareciera el *hall* de un hotel de lujo, sino un salón en el que vivir. Ese empeño tenía sabiendo que la que viviría aquí sería yo y no él.

Blanca y yo nos sentamos en una pila de láminas de la tarima que hay en el salón y que se van a colocar en una de las habitaciones de arriba. Es lo último que falta antes de que entren los pintores para terminar. En la casa vacía, con eco de nuestra conversación, le cuento mi intención de abrir una línea de interiorismo en Puente. Le gusta la idea y no me pregunta ni por el sueldo. A ella le interesa otra cosa.

—¿Y por qué yo?

—Tengo la intuición de que debes ser tú.

—Sabes que aunque reconozco el mérito de tu trabajo, no soy precisamente una entusiasta de él. No entiendo tu empeño.

—A lo mejor es por eso.

—Debe de haber decenas de interioristas que te admiran y se morirían por el puesto que me ofreces.

—Al contrario de lo que te pasa a ti, a mí me encanta tu trabajo —reconozco.

—¿Tú has visto mi trabajo?

—Sí. Te he seguido desde hace meses, he visto casas que has decorado en archivos y he leído un montón de artículos tuyos.

—Me sorprendes.

—Me gustan tus ideas, creo que puedes aportarme algo que yo no tengo.

—Si te soy sincera, no termino de entenderte.

—Ni yo misma me entiendo del todo.

—¿Has oído algo? —se sobresalta.

—No. ¿Dónde?

—Arriba. Me ha dado la sensación de que hay alguien arriba.

—No puede ser. Hoy es domingo. Nadie trabaja hasta mañana.

—Tengo que reconocer que esta casa, por ejemplo, es maravillosa.

—¿Verdad?

—Sí tiene algo de tu sello, pero me parece más confortable.

—¿Podrías decirme algo bueno de mi arquitectura?

—Que es bonita. A veces muy bonita a primera vista.

—Eso es bueno, ¿no?

—Sí, pero creo que le falta alma.

—¡Ya estamos con el alma! ¿Tú crees que las casas tienen alma?

—Por supuesto.

—¿Has oído eso? —Ahora soy yo la que me sobresalto—. He oído un ruido arriba.

—¿Habrá alguien?

—No puede ser.

—Será nuestra imaginación.

—Siempre pensé que el alma de las casas las ponían las personas que vivían en ellas.

—Eso también es así, pero hay casas que son para enseñar y otras que son vivibles.

—¿Vivible? ¿Existe esa palabra? —pregunto.

—No, pero debería existir. Lo mismo que invivible.

—Existe habitable.

—No es lo mismo. Vivible explica más cosas. Para mí, ése es el problema de tu arquitectura. Que tus casas son para enseñar, para hacer una fiesta en ellas, para fotografiarlas, son habitables, pero no son vivibles.

—El otro día soñé con una casa en la que hacía una fiesta.

—¿Y?

—Que al lado había otra casa.

—¿Y?

—No sé. Cosas mías.

—¡Coño! —gritamos al tiempo.

—Seguro que hay alguien arriba —dice ella.

—He oído pasos —afirmo yo.

Subimos a la planta de arriba. Volvemos a recorrer cada una de las habitaciones, baños, pasillos. No hay nadie. Creo que Blanca tiene algo de miedo, pero yo, sorprendentemente, no lo tengo.

—¡En fin! —me dice—. Que acepto encantada tu oferta.

—Si no sabes ni lo que vas a cobrar.

—Sé que me pagarás bien, eres generosa, pero acepto porque me apetece un montón trabajar contigo.

—Eso tampoco tiene sentido.

—Es verdad. Ni lo tiene que tú me ofrezcas trabajo ni que yo lo acepte.

Blanca se despide de mí en la puerta con dos besos y nos citamos al día siguiente en el estudio. Yo me voy a quedar un rato más en la casa.

—¿Sabes una cosa? —me dice Blanca al despedirse.

—¿Qué?

—Que esta casa tiene alma.

—¡Lo sé!

Me dan miedo las películas de miedo. Nunca las veo. Las de asesinos con algo de intriga en la que te llevas algún susto sí, pero las de miedo con espíritus no puedo con ellas. A los asesinos puede detenerlos la policía. En las películas, si son muy malos, o los detienen o los matan en la escena final. Pero claro, a un espíritu no se le puede detener y menos aún matar, si ya está muerto. A mí me da miedo lo incontrolable y a los espíritus no hay quien los controle. Yo sé que arriba hay alguien, aunque antes no haya querido aparecer cuando estaba Blanca. Es algo entre él y yo.

—¡Hola! ¿Hay alguien?

—¡Sí! —contesta una voz.

—¿Gene?

—¡Hola, María!

—¿Pero tú estás muerto?

—Sí. Muerto del todo.

—Entonces, ¿eres un espíritu?

—Llámame como quieras.

—¿Y qué haces aquí?

—¡Hubo tantas cosas que no me dio tiempo a decirte!

—Debo de estar soñando.

—Qué más da si es un sueño. Los sueños también son parte de la vida.

—¿Y qué es lo que no tuviste tiempo de decirme?

—Que lo siento. Que me arrepiento de haber llegado tan tarde.

—Yo también lo siento, me hubiera encantado conocerte antes.

—Quería decirte también que lo estás haciendo todo muy bien.

—Estoy cambiando muchas cosas, ya sabes.

—Sí. Sigue haciendo caso a tu intuición.

—Lo haré.

—Pero te estás equivocando en una cosa.

—¿Que me estoy equivocando?

—¡Sí!

—¿En qué...? ¡Gene...! ¿Estás ahí?... ¡Gene no..., no desaparezcas ahora...! ¡Gene! ¿En qué me estoy equivocando?

De repente escucho el sonido del móvil. Es mi madre.

—¡Dime!

—María, llevaba un rato llamando. ¿Dónde andas?

—En la casa nueva.

—¿Y por qué no cogías el teléfono?

—No lo he oído. Me he quedado dormida.

—Pero si no hay camas en esa casa.

—¡Es verdad! Bueno, ¿qué querías?

—Que si comemos juntas.

—Sí, paso a recogerte con las niñas.

—Vale, invito yo.

Eugenio ha regresado ya de Nueva York. Me ha contado que todo ha ido de maravilla, que se lo ha pasado en grande y que es una ciudad en la que le gustaría vivir algún día. Está entusiasmado. Opina que Manhattan es el referente mundial para cualquier persona a la que le interese el arte, la moda, la arquitectura... Es allí donde pasa todo, Madrid es un pueblo, dice. Siempre que va, y ha ido varias veces, regresa con ganas de volver para quedarse, aunque cuando lleva aquí algunas semanas se le va pasando. Le ocurre a otra gente que conozco, pero a mí, no quiero ser reiterativa, ya he explicado lo que me pasa con esa ciudad.

Tan contento estaba Eugenio con el viaje que pensé que lo de Clara se habría asentado como relación cuando de repente me dice que rompieron un día antes de regresar a Madrid. Menos mal que no se ve a través del teléfono, porque debía de ser cómico verme apretar el puño en señal de victoria, como cuando un tenista hace un punto, al mismo tiempo que le decía: «Eugenio, cuánto lo siento». Él me dice que no, que no hay que sentir nada. Habla maravillas de Clara, pero dice que ella está en un momento demasiado complicado y que él... Bueno, que ya me contará lo que le pasa a él para no poder estar con Clara. Lo dicho, menos mal que no se ve a través del móvil, porque los saltos que daba mientras le decía un poco distante «claro, claro, ya me lo contarás luego» eran olímpicos. Ahora está durmiendo un poco para recuperarse del *jet lag* y esta noche hablaremos.

Últimamente mi conducta no tiene mucho que ver conmigo. Con quien yo he sido hasta ahora, quiero decir. Hay veces que sé explicarlo y otras no, pero me da igual. Tiene algo de sinsentido mi comportamiento, pero quiero ver a dónde me lleva esta forma de dejarme llevar. Por ejemplo, es un sinsentido que quiera volver con Eugenio. Inexplicable que después de casi veinte años acostándome con él sienta ahora un hormigueo en la tripa como si fuera una adolescente. Ni sexo quiero, sólo besarle y, si me atrevo, decirle que le quiero. Nunca le he dicho a Eugenio «te quiero». Nunca lo he sentido de verdad y por eso nunca se lo he dicho. Ahora creo que sí se lo diría.

Esta noche voy a escuchar eso que me quiere decir y que espero que sea lo mismo que yo quiero escuchar. Voy a vestirme de verde, con una camiseta que me deja la espalda completamente al aire. Y me voy a poner un pantalón pitillo y unos zapatos de mucho tacón. Ésta es otra de las cosas que no termino de explicarme. Últimamente estoy muy guapa. A pesar de lo que lloro, de que me cuesta dormir, de que como de manera poco saludable y de que no hago apenas ejercicio, estoy muy guapa.

Estoy pensando que a lo mejor no es buena idea lo de la camiseta con la espalda al aire y el pantalón pitillo. No vamos a una fiesta, vamos a cenar, a hablar y puede que ese atuendo sea un poco agresivo. A lo mejor me pongo el vestido largo negro, más cómodo y le meto color con alguna pulsera y con el pintalabios rojo. Aunque si le voy a besar puede que el rojo sea un poco incómodo. Dicen en la publicidad que no deja manchas y que aguanta hasta el agua, pero eso no es verdad. Si besas con labios rojos, los labios de él quedan como si se hubiera comido una piruleta. No sé, a lo mejor me pongo los pantalones anchos color mostaza y la blusa negra. Es sugerente, pero elegante.

Hemos quedado a las diez, pero a las nueve y veinte ya estoy dando vueltas por los alrededores del restaurante. Tenía ganas de venir y me he arreglado con demasiado tiempo. Hace buena noche para pasear, pero luego me van a doler los pies, así que decido esperar sentada en el bar de al lado tomando una cerveza. De tapa me ponen unos torreznos, que no me gustan mucho, pero como estoy un poco ansiosa ante la cita a los diez segundos no queda ni uno en el plato. Qué querrá decirme. Deseo tanto que me diga que quiere estar conmigo. No le ha ido bien con Clara y no sólo por el mal momento de ella, también él se dio cuenta de que tenía otro motivo para no estar con ella. Espero ser yo ese motivo. El camarero pone otro platito de torreznos que me como de dos en dos y de tres en tres. Apuro también la caña y me voy al restaurante. Cuando entro ya está Eugenio esperándome en la mesa. Son menos diez, así que él también tenía prisa por llegar. Qué guapo está, creo que no debería cortarse el pelo, se lo está dejando crecer y me parece un acierto. Se levanta al verme.

—¡Qué guapa! Qué bien te queda esa camiseta verde.

Me giro para que vea mi espalda al aire y sólo acierta a decir.

—¡Qué barbaridad!

Se acerca una camarera con la carta y nos pregunta si queremos beber algo. Pedimos cerveza.

—¿Qué querías decirme? —le pregunto en cuanto desaparece la camarera.

—¿Decirte? —contesta un poco despistado—. No era nada en especial, sólo hablar contigo.

—Esta mañana te había entendido que querías decirme algo concreto.

—¡Estoy muerto de hambre! —se entusiasma mientras hojea la carta—. ¿Y tú?

Intento rehacerme de la decepción, pero yo creo que se me nota. Nunca he sabido disimular. Mentir, sí. Si planeo una mentira, es muy difícil pillarme, en eso soy una especialista. Pero cosa distinta es fingir en el momento que algo te ocurre, disimular si algo te molesta. Recuerdo a mi madre decirme siempre: «¡Ya se ha puesto la niña mohína!», así con esa especie de tristeza que me entraba cuando no se me cumplían las expectativas. Yo siempre he sido muy sensible y, cuando pasa eso, me entran ganas de llorar.

—¿Qué tal tu madre? —me pregunta después de haber pedido la cena.

—Pues mal. ¿Cómo quieres que esté mi madre?

—¡Sí, llevas razón!

—Entonces, ¿para qué preguntas?

Para evitar llorar sólo puedo enfadarme con quien tengo enfrente, como acabo de hacer en este momento. No sé hacerlo de otra forma, o me pongo triste o me pongo borde. Eugenio se da cuenta, se nota que me conoce, así que no se enfada, a pesar del corte que le acabo de dar.

—¡Lo siento! —le digo—. Es que no me apetece mucho hablar de mi madre. Me pongo muy triste.

—Tranquila, es normal.

—¡Cuéntame tú! ¿Qué ha pasado con Clara?

—Pues que fue un error irnos juntos a Nueva York.

—Si te soy sincera, ella me encantó —le confieso.

—Es maravillosa, pero no podía salir bien. Fue todo muy precipitado.

—Reconozco que me puse un poco celosa cuando os fuisteis.

—Ya lo sé.

—¿Cómo?

—No sabes disimular.

—¡Qué cabrón! —le digo riéndome.

Clara nos sirve para hablar de la crisis, del sufrimiento de tanta gente y de que es posible que vayamos hacia un tiempo distinto. El cambio de Puente también tiene que ver con ese cambio social que estamos viviendo. Hacerles casas a ricos es algo que cada vez me interesa menos. Hablamos del futuro del estudio, del futuro del país, del futuro de la gente a la que esta crisis va a dejar en la cuneta. Y la cena se va acabando y la noche se nos va y yo estoy con mi espalda al aire, mis labios rojos y mi futuro incierto.

—Antes no te dije la verdad —dice Eugenio de repente.

—¿A qué te refieres?

—A que sí tenía que decirte algo.

—¿Y por qué no me lo dices?

—Porque tengo miedo.

—¿Miedo...? ¿De mí? —pregunto sorprendida.

—He estado pensando que voy a dejar Puente.

—¿Qué? —paso de sorprendida a atónita.

—No puedo seguir.

—¿Por qué? Ahora vamos a empezar una nueva época. Vamos a hacer proyectos maravillosos. Estoy segura.

—No es nada profesional, es personal.

—¿Qué quieres decir?

—Me estoy haciendo daño.

Eugenio se emociona. Yo también.

—No te entiendo —le digo.

—No puedo seguir viéndote.

—¿Qué dices? Yo necesito verte.

—Sí, pero yo de otra manera. Yo lo quiero todo.

Eugenio dice esa última frase y se calla. Yo también. En ese instante descubro que está pasando justo lo que yo esperaba y ahora que ha pasado ya no sé si es lo que quiero. Permanezco callada, estoy contenta, pero no tanto como me gustaría estar.

—¡Y yo! —le digo sonriendo.

—¿Tú qué?

—Que yo también quiero intentarlo contigo. De verdad.

—¿Desean algo más? —nos interrumpe la camarera.

—¡La cuenta! —solicita Eugenio.

—¿No desean un licorcito los señores?

—No. Tenemos muchísima prisa —le digo a la camarera sin dejar de mirar a Eugenio.

En la misma puerta del restaurante, sin decir nada, porque no hay nada que decir, le beso con fuerza. El beso me excita, me relaja, me hace sentir bien y lo disfruto. Voy a decirle eso que tenía pensado decirle.

—¡Eugenio, creo que te quiero!

—¿Crees? Esas cosas no se creen, se saben.

—Pues te quiero.

—Nunca me lo habías dicho en veinte años. —Él también se había dado cuenta.

—¡Llévame a tu casa! —le pido casi en tono de súplica.

—¡Vamos! —me dice mientras grita para parar a un taxi.

—Límpiate un poco la boca.

—¿Tengo algo?

—Sí, tienes la boca llena de carmín —digo riendo.

El taxista es prudente, mantiene una actitud muy profesional mientras Eugenio y yo nos devoramos en el asiento trasero. Creo que al llegar a su casa el taxímetro marca unos nueve euros y Eugenio le da un billete de veinte diciendo que se guarde el cambio. Ni para eso tenemos tiempo. El portal, el ascensor, la puerta de la casa, el *hall* y el pasillo es un recorrido que se nos antoja eterno hasta llegar a la habitación. He estado aquí muchas veces, pero como hoy nunca. Ni la primera vez que vine. Así no. Estoy tan excitada por la emoción que creo que me estoy mareando un poco. A los dos nos está pasando lo mismo, necesitamos tranquilizarnos, ir más despacio. Y lo hacemos. Nos besamos suavemente, sintiendo cómo se rozan nuestros labios, nuestras lenguas. Es emocionante besarse así, ya no me acordaba. Tengo tantas ganas de él, de consumirle, quiero estar desnuda, abierta a él, entregada. Sin orden ni concierto nos desnudamos con tanta torpeza como lentitud, pero no pasa nada. Esta noche todo está bien. Yo desnuda y desnudo él, me muero de excitación. Nos tumbamos en la cama, casi sin dejar de abrazarnos. Noto cómo entra en mí y noto cómo sentimos emoción en cada movimiento. Eugenio está tan excitado, tan fuera de sí que antes casi de que pueda esperarlo termina dentro de mí. Ya. Le abrazo fuerte, él también. Se ríe, nos reímos a la vez de su rapidez. Es tan emocionante esa risa, tan cómplice. Todavía dentro de mí y después de pedirme disculpas me dice que si quiero cenar algo. Yo, que me ha parecido el peor y el más bello polvo que he echado en mi vida, le digo que sí, que me muero por una pizza. Todavía desnudos, me promete que después de comernos la pizza volveremos a la cama. Esto no se va a quedar así, me asegura.

Mientras se ha hecho la pizza en el horno y, ahora, mientras la comemos, Eugenio me cuenta su viaje a Nueva York con Clara. Fue muy precipitado irse después de conocerse tan poco. Los dos quisieron convertir en una relación algo que no debería haber pasado de unas cuantas cenas y otros tantos encuentros en la habitación de un hotel. Ella, además, no estaba en su mejor momento para irse seis días de casa recién despedida de su trabajo. Me cuenta Eugenio que nada más llegar se dio cuenta del error y quiso volver a Madrid. Finalmente no lo hizo y, al parecer, le vino bien. Han quedado como amigos. Dejamos de hablar de Clara y vuelvo a bromear con el brevísimo encuentro sexual de esta noche y él corresponde también riendo, pero poniéndose un poco colorado. Estoy tan a gusto con él.

—¡Vamos a la cama! —me dice de repente.

Suavemente me da la mano y me invita a que lo haga. Llevo una camisa suya y el tanga. Me desabrocha la camisa y me quita el tanga.

—¿Quieres un *gin-tonic?*

—¿Ahora? —le pregunto ya en la cama.

—Sí, ahora.

—Pues vale.

Eugenio tarda muy poco en volver con la copa. Yo estoy sentada con la espalda apoyada en el cabecero. Se arrodilla entre mis piernas, bebe de la copa y me la entrega. Yo, sentada, veo, con mi *gin-tonic* en la mano, cómo la cara de Eugenio se sumerge entre mis piernas. En cuanto siento cómo me roza su lengua tengo ganas de tumbarme, pero me pide que no. Quiere que pueda mirar lo que hace. Y lo hace tan suave, tan a tiempo, tan intenso que tengo que controlar la respiración para no gritar. No veo lo que me hace, sólo lo siento. Lo que veo es su nuca, su espalda fuerte, su culo, sus piernas y eso me hace sentir tanto que le cojo del pelo con una mano mientras sostengo la copa con la otra. Eugenio está desconocido. Es bueno en la cama, pero esta forma es nueva para mí. Bebo un trago largo del *gin-tonic*. Me está gustando tanto que no tengo ninguna gana de acabar. Le pido que pare. Lo hace, se reincorpora y me pide beber de la copa. Le veo hacerlo con su boca mojada de mí y se me escapa un jadeo ante esa imagen. Estoy muy excitada, si no le restara algo de profundidad y belleza a mi sentimiento, diría que estoy cachonda perdida. Y más cuando se tumba boca arriba y me invita a que suba encima de él. Pienso que es para entrar, pero cuando voy a hacerlo empuja de mis nalgas hacia arriba y me coloca justo encima de sus labios. Ahora delante de mí tengo la pared, apoyo mi frente en ella mientras miro hacia abajo y contemplo sus ojos observándome y su boca haciéndome estremecer. Me quedo mirándole y me excita mucho que me aguante la mirada con el resto de su cara escondido entre mis piernas. No puedo más, me muevo encima de él disfrutando de cada segundo del placer que me está dando. Apenas grito al acabar, apenas puedo. Me tumbo junto a él y le pido que me abrace con fuerza. Ha sido tan hermoso y emocionante este placer que no quiero marcharme esta noche de aquí. Casi sin hablar apoyo mi cabeza en su pecho. Es lo último que recuerdo antes de quedarme dormida.

La sala de espera de un oncólogo da muchísimo miedo. Aunque, aparentemente, es como cualquier otra de este hospital, no hay grandes diferencias con la del otorrino o la del traumatólogo. Tiene el suelo brillante oscuro, los muebles son nuevos, cómodos. Parecen de oficina. Las mesitas son de cristal y las puertas de madera de color roble. Una chica de unos quince años está con su madre en una de las esquinas. No hablan entre ellas. La madre cruza y descruza las piernas de manera compulsiva, la chica está manipulando su móvil casi sin alzar la vista de la pantalla. Dudo un momento sobre cuál de las dos será la enferma, pero supongo que si fuera la madre, la hija no estaría aquí. Hay una pareja normal de unos cincuenta años, posiblemente no lleguen a esa edad. Ella seguro que no. Son una pareja como tantas, como las que están en la consulta del dentista, pero tengo la seguridad de que aquí se quieren más. También hay una chica de mi edad, más o menos, con un pañuelo en la cabeza y sin cejas. Se debe de estar tratando o a lo mejor ya ha terminado el tratamiento. No sé. Parece contenta, o eso me imagino yo. Eso sí, no para de mover la pierna derecha a modo de vibración constante, rápida. Si miro su pierna, me entra un poco de desesperanza.

Y luego estamos mi madre y yo, que tenemos cita a las diez. No quería que la acompañase, pero no iba a consentir que viniera sola. Mi madre y yo, como el resto de habitantes de esta sala de espera, tampoco hablamos. Ella pensará en su miedo y yo en que cualquier persona de las que hay aquí sabe más de la vida que yo. Eso seguro.

La puerta se abre y de la consulta sale una pareja de unos cuarenta y tantos. Se les nota contentos. Rompen el silencio que hay en la sala despidiéndose de la enfermera y preguntándose cuál de los dos ha guardado la tarjeta del párking. No quieren manifestarlo, pero han recibido buenas noticias. A lo mejor se ha curado cualquiera de los dos que fuera el enfermo, o posiblemente les han dicho que ese bultito no era nada más que grasa, o que los resultados de su hijo han sido negativos. Pienso en eso y en esa macabra lotería que es esta sala de espera de oncología en la que tras la puerta un señor con bata te dirá si ha salido cara o ha salido cruz. Antes de que la pareja desaparezca del todo, la enfermera llama a mi madre y entramos en la consulta.

Escuchamos al médico, un señor muy cordial, explicar a mi madre que el final está próximo, que en cualquier momento va a recaer y que todo lo que le espera será terrible. Ése es el resumen de los plazos y los síntomas. Ninguna de las dos hablamos, ni siquiera cuando este señor tan amable le pregunta a mi madre por algunas decisiones que ha de tomar cuando el final se acerque. Mi madre se limita a decir que ya verá qué hace.

Nos vamos de la consulta en silencio, de la misma manera que habíamos entrado. Y así caminamos hasta el párking del hospital. Yo voy llorando, aunque casi no se me nota. Ella no. Antes de montarnos en el coche nos abrazamos muy fuerte. Ahora ya lloro sin consuelo, ella también un poco. No quiero perderla, pero no le digo eso. El abrazo me relaja, tenerla entre mis brazos me quita los nervios, que llevan ahogándome toda la mañana, desde que la recogí para venir al hospital. Ella está más entera y me pide que la lleve al centro. Nos montamos en el coche y me dice que ponga a Bruce Springsteen. Y con él sonando llegamos hasta Sol.

—Te voy a decir una cosa, María —me dice antes de bajarse del coche.

—¿Qué? —le pregunto mientras aspiro sonoramente los mocos que ha producido mi llanto.

—Que esto no es tan importante.

—¿Qué quieres decir?

—Que la gente se muere, es así. Y que mi vida ha sido maravillosa. Y que lo importante es que me recuerdes con amor. Y que poco después de morir yo, tú seguirás riendo y Carla y Julia jugando, y la vida seguirá. Pasa todos los días.

—¡Calla, mamá, por favor! —le pido sin parar de llorar.

—No te preocupes por mí. Sólo te pido que a partir de este momento y hasta el final no volvamos a hablar de este tema.

—¡Vale! —le digo atónita.

—¡Dame un beso!

Nos besamos y nos despedimos con un «te quiero» hasta por la tarde. Ella dice que se va a ir a comprar un vestido y que luego irá a ver a las niñas.

Tengo delante de mí el informe que encargué a los dos economistas que se han quedado al frente del departamento financiero de Puente después de la marcha de Óscar. Los dos están delante de mí, junto con Martín, el abogado del estudio, y Eugenio. Todo es muy complejo, aunque simple a la vez. Con las obras que tenemos, la mayoría casas a punto de acabar y entregar, no podemos seguir manteniendo a tanto personal. En los últimos seis meses hemos despedido casi a veinte personas, y quedamos otros treinta; treinta y dos para ser exactos. Martín me dice que urge despedir a más gente. Con los nuevos encargos y los que hay en marcha será suficiente con quince trabajadores. Él mismo se ofrece a comunicárselo a los empleados que yo decida despedir. Al lado del informe está la lista con sus nombres.

—No te preocupes, yo me encargo —le digo a Martín.

—No creo que sea necesario que te expongas tú a ese trago —me recomienda.

—Yo ahora tengo que irme. Quiero que convoques a todo el mundo mañana a las nueve de la mañana.

—¿Pero a quiénes? —pregunta, señalándome la lista—. Tienes que elegir.

—A todos. Quiero a todos los trabajadores de Puente mañana a las nueve aquí. Que nadie vaya a ninguna obra y si hay alguien de baja le llamáis también. Quiero a todo el mundo aquí. Mañana nos vemos.

Todos desaparecen de mi despacho, menos Eugenio, que está igual de sorprendido que el resto.

—¿A dónde vas ahora? —me pregunta.

—Al banco. Luego te cuento.

Mi padre está en Madrid. Ha venido a vernos a todos, también a mi madre. Especialmente a ella. Está triste, no hay más que verle. Antonio siempre ha querido mucho a mi madre. El amor no puede medirse, es demasiado subjetivo y ni siquiera sabemos si cada persona habla de lo mismo cuando habla de amor. No puede medirse bajo ninguna magnitud y por tanto compararse, pero yo me entiendo y creo que me explico si digo que Antonio quiere a Ernesta más que Ernesta a Antonio. Siempre lo he pensado, sin que eso haya supuesto ni mérito ni demérito para ninguno de los dos.

Mi padre, a pesar de su reducida pasión por la vida, siempre nos ha hecho sentirnos queridas a mi madre y a mí. Al hacerme mayor, nuestros intereses dejaron de ser los mismos, veíamos la vida de otra manera, nos interesaban cosas muy distintas. Mejor dicho, nos interesaban las mismas cosas de manera muy diferente. Él y yo nos distanciamos, aunque nunca ha pasado nada entre nosotros. Es como si hubiéramos discutido pero sin discutir. Hemos quedado a comer y mientras lo hacemos le pongo al día de las últimas novedades de mi vida. Ya las sabe todas, porque se las cuenta mi madre. Él llama a mi madre o mi madre a él para hablar de mí. Cuando Antonio y yo hablamos por teléfono casi siempre hablamos de mi trabajo. Eso sí, del estudio lo sabe todo.

Me cuenta que le desespera un poco que Ernesta haya decidido no someterse a la quimioterapia. Le intento explicar que los médicos ven imposible que mi madre se cure, así que puede ser un sufrimiento innecesario. «Tu madre —dice— es una mujer maravillosa». Hay frases cargadas de amor, que parecen una frase más, palabras que pueden pronunciarse en cualquier contexto que las haga perder su sentido total. Esa frase que acaba de pronunciar mi padre con la voz entrecortada, la mirada profunda clavada en la mía y los labios temblando en ese instante justo antes de romper a llorar es una frase que resume la historia de amor que Antonio y Ernesta han mantenido durante tantos años. Amor, admiración y respeto en esa simple frase: «Tu madre es una mujer maravillosa».

—Yo la veo muy entera —comento.

—Siempre ha sido muy valiente. Hoy mismo me ha dicho que tengo que invitarla a una marisquería.

—Qué bueno, últimamente casi no come.

—¡Vente! —me propone—. Y así lo celebramos.

—¿Qué celebramos?

—Mi cumpleaños.

—¡No! ¡Antonio, cuánto lo siento! No me he acordado de que hoy es tu cumpleaños.

—Fue antes de ayer, pero da igual.

—¡Muchas felicidades! ¡Jo, qué mal me siento!

Y es verdad que me siento mal. Con todo lo que está pasando se me ha olvidado por completo. Menos mal que mi padre no se enfada, él es así. Quedamos en que mañana vendrá a casa a estar un rato con las niñas. Así tendré tiempo de comprarle un regalo. Con él, un buen libro siempre es un acierto.

—¿Qué tal Estefanía? —le pregunto mostrando interés.

—¿No te contó tu madre?

211

—No. ¿Qué tenía que contarme?

—Que se ha marchado.

—Lo habéis dejado.

—No, me dejó ella a mí. Una mañana, al levantarme, me encontré una nota de despedida, como en las películas.

—¿Y qué decía?

—Nada en especial. Que estaba cansada y que se marchaba.

—¡Me dejas de piedra! —digo por decir.

—La he llamado al móvil, pero sale el contestador de que ese número no corresponde a ningún abonado.

—¿Y cómo estás?

—No sé. Con cara de tonto, supongo.

—He de confesarte que esa mujer a mí no me gustaba.

—No hace falta, se te notaba demasiado.

—Yo creo que iba a por tu dinero.

—No lo creo porque no se ha llevado nada. Y quiero que sepas —continúa— que ella tenía una especie de fijación contigo.

—¿Conmigo?

—Sí. No paraba de preguntarme cosas sobre ti. Tú eras su tema de conversación favorito.

—¡Es lo último que podía esperarme de ella!

Pedimos la cuenta, aunque Antonio no deja que pague. Él regresa con mi madre y yo sigo con mi día. Nos despedimos mientras intentamos coger un taxi cada

212

uno. Después de darnos un par de besos, parece dudar si decirme algo, pero al final lo hace.

—¡María! No es por reprocharte nada, pero el año pasado tampoco lo hiciste.

—¿Qué fue lo que no hice?

—Felicitarme por mi cumpleaños.

He llegado la primera. Repaso todos los números que me dieron ayer en el banco. Todos los documentos sobre la obra pública que pedí, todas las obras empezadas y las encargadas que están a punto de empezar. También tengo la lista de los treinta y dos trabajadores que tenemos en Puente. Hoy estaremos todos. Estoy nerviosa, me doy cuenta mientras oigo desde mi despacho el ruido de la gente que va llegando al estudio.

Eugenio, que ha sido de los primeros en llegar, ha venido a mi despacho para preguntarme cómo estaba. Le he dicho que bien, pero que quiero estar sola hasta que haya llegado todo el mundo. Le he pedido que cuando estén venga a avisarme. Identifico bien mis sentimientos, creo estar muy lúcida esta mañana.

Estoy nerviosa y también emocionada porque sé que voy a hacer lo que quiero hacer. Todavía son las nueve menos cinco cuando Eugenio entra para decirme que ya están todos. Detrás viene Martín, el abogado, para recomendarme que no tenga la reunión.

—Están bastante cabreados —me advierte—. Se ha corrido el rumor de que vamos a despedir a gente y no te lo van a poner fácil.

—No te preocupes. No pasará nada.

—No hay ninguna necesidad —insiste—, los citamos uno a uno y soy yo el que lo comunica.

—De ninguna manera, soy yo la que tiene que coger el toro por las riendas.

—¡Por los cuernos! Se dice coger el toro por los cuernos.

—Ya lo sé. Son cosas mías.

Cuando entro en la sala, todo el mundo para de hablar. La verdad es que el ambiente impone bastante. Supongo que tendrán miedo. Los conozco a todos, profesionalmente sobre todo, pero también sé algo de sus vidas. Los que tienen hijos, los que están solteros, los separados, los que están liados entre sí, que algunos hay... Les saludo con un «buenos días» y me responden. Me doy cuenta de que para dirigirme a todos debería subirme a algún sitio, pero me da una vergüenza horrible, así que les pido que se abran a modo de corro. Así lo hacen y me apoyo en una mesa. Hay tanto silencio que no hará falta hablar muy alto.

—Sabéis que uno de nuestros clientes, Gene Dawson, murió hace poco en accidente de tráfico. Sabéis también, porque aquí se sabe todo, que ese hombre era mi padre biológico. No os voy a aburrir con demasiados detalles, pero sí quiero que sepáis que él es el responsable de lo que os tengo que comunicar. Ninguno de vosotros va a perder el trabajo, eso es lo primero... Sí, sí, respirad tranquilos. Tú también, Martín, que todo está controlado...

»Tenemos que terminar los proyectos que están en marcha y hay que empezar otros nuevos... Tenía por aquí una chuleta de lo que os tenía que decir, que ahora me he quedado un poco en blanco... ¡Ah, sí! Quiero organizar un concurso de nuevos talentos de la arquitectura... Quiero que estén en Puente los mejores de España... Habrá una nueva línea de interiorismo que dirigirá Blanca Ríos, a la que ya conocéis todos. ¿Qué tal, Blanca? Más cosas que tengo apuntadas...

»En España hay algunos concursos de obra pública a los que quiero que Puente se presente: museos, centros culturales, universidades y hasta una catedral. Yo me voy a dedicar exclusivamente a dirigir esos proyectos, especialmente el de un museo en Aragón que me hace muchísima ilusión... Otra cosa, nos mudamos de aquí... La nueva sede de Puente será la casa donde yo vivía hasta ahora. En realidad, siempre ha sido más una oficina que un hogar, así que...

»Bueno, sigo... En Puente vamos a seguir construyendo casas, eso sí, más vivibles, que ya sé que no existe la palabra, pero que me encanta. Ese departamento lo dirigirá Eugenio... Porque ésa es otra cosa que os quería contar: por el momento, yo no volveré a diseñar ninguna casa más, la última va a ser la mía y ya está terminada... Que por cierto, cuando la inaugure, que será muy pronto, voy a hacer una fiesta a la que me gustaría que vinierais todos.

Ya están los muebles en Madrid. La empresa de mudanzas los está desembalando y colocando provisionalmente donde yo les voy diciendo. Eugenio me está ayudando. Los cuadros y algunas esculturas, de momento, no las voy a desembalar. Eugenio me indica qué hay en cada una de las cajas y bultos. Unos se quedan en el salón, otros los distribuyo por las habitaciones, la mayoría los bajo a la planta de abajo y al garaje.

Eugenio me señala una caja en la que hay álbumes personales de Gene. Me siento en un sofá y empiezo a repasarlos. Entre ellos hay uno que me llama la atención y lo abro con mucha curiosidad. Efectivamente. Es aquél del que me habló mi madre, el que llevó a Gene con fotos de mi infancia. Conozco casi todas las fotos, y me encanta que Gene lo haya conservado durante tantos años. Los operarios siguen preguntando dónde colocar las cosas y encargo a Eugenio que los dirija. Me apetece ver las fotos de Gene. Siento una mezcla de morbo e inquietud por saber de él. Hay fotos suyas de joven, muchas de fiesta, en inauguraciones parece. Me sorprende una en la que aparece con Dalí. No sé si le conocía mucho, a lo mejor es de esas que se hacen por casualidad cuando coincides con algún personaje relevante. Hay muchas fotos con mujeres, algunas de ellas muy guapas. Gene estaba muy bien cuando era joven. De mayor también conservaba mucho atractivo, pero viéndole en estas fotos entiendo que tuviera éxito con las mujeres. Hay fotos de exposiciones, las hay más antiguas, más modernas, algunas por su aspecto tienen que ser de hace poco tiempo.

Eugenio me reclama y me dice que siga indicando dónde va cada cosa. Dejo de abrir álbumes y le hago caso. No sé el qué, pero hay algo en las fotos que me resulta familiar, pero no sé muy bien qué es. Se me olvida mientras acabo de dirigir la colocación de los bultos.

Los operarios de la mudanza se marchan y Eugenio me propone ir a cenar. Ordenar y distribuir esto me va a llevar varios días, así que después de varias horas aquí es mejor dejarlo. Nos vamos en el coche de Eugenio, que repasa los maravillosos cuadros que tenía Gene y también recuerda lo que les he dicho a los empleados esta mañana en el estudio. Me pregunta qué quiero cenar, que si me apetece un japonés. Me dice que a él sí le gustaría.

—¡Hostia!

—¿Qué pasa? —pregunta Eugenio, que se acaba de llevar un susto con mi grito.

—¡Tenemos que volver!

—¿Volver a dónde?

—A la casa.

—¿Qué se te ha olvidado?

—Nada, nada. Es que quiero comprobar una cosa.

Al llegar voy deprisa a por los álbumes y busco el último de los que había abierto. Lo ojeo deprisa. Ya sé qué era lo que me resultaba familiar. Pero es imposible que sea.

—¿Qué pasa? —me pregunta Eugenio.

—¡Es ella!

—¿Ella? ¿Quién?

Abro los últimos álbumes, los más actuales, y aparece en algunas fotos junto a Gene. Es ella, seguro. Esa mujer que aparece en las fotos es Estefanía, la novia mexicana de mi padre.

A Óscar parece que se le había tragado la tierra. Durante los días siguientes a nuestra ruptura insistió mucho en verme, lo intentó de todas las maneras, llamó a mi madre, me mandó mensajes a través de Rosario, y hasta alguna frase de las niñas me sonó a que debería ceder y verle para que me diera una explicación. Ahora ha estado varios días desaparecido, se ha quedado un día con las niñas, pero en los últimos diez ni ha llamado ni he sabido nada de él. Hasta hoy.

Mi madre ha tenido que ir al hospital. Anoche sintió que no podía respirar y llamó a una ambulancia. Fue una simple infección, que en su caso le inflamó las vías respiratorias y casi se ahoga. Ahora está mejor, los antibióticos han surtido efecto y su estado después de unas horas críticas es de nuevo normal. Ni siquiera la van a ingresar.

—La verdad es que ha habido suerte —me dice el médico—. Su madre podría haber muerto esta misma noche, que no haya sucedido ha sido un milagro.

—Usted es médico, no debería hablar de milagros.

—Es una expresión coloquial, no se enfade. En cualquier caso, nunca se sabe qué es mejor.

—¿Qué quiere decir?

—Señora, su madre va a morir, puede que una infección como la de hoy le produzca la muerte o puede ir deteriorándose poco a poco. Puede ser hoy o dentro de un mes, puede ser rápido o una agonía lenta. Es algo imposible de predecir.

Ahora le cuesta hablar, pero se encuentra más o menos bien. Hemos ido en mi coche hasta su casa para recogerlo todo. Se viene a vivir definitivamente conmigo. No quiero que esté sola si vuelve a ocurrir algo como lo de anoche. No me lo perdonaría, por mucho miedo que me dé enfrentarme a eso y más si se produce con las niñas delante. Prefiero no pensarlo.

—Ayer me llamó Óscar —me desvela mientras termina de cerrar su maleta.

—¿Y?

—Que quiere verte.

—Tú le habrás dicho que yo no.

—Yo no le he dicho nada. Le prometí que te lo diría y te lo estoy diciendo.

Mientras vamos a mi casa en el coche escuchamos la radio. A mí me gustan las emisoras en las que ponen música y, supongo que como todo el mundo, las tengo ordenadas en la memoria del uno al seis. Con el mando del volante zapeo de una a otra en busca de alguna canción que me guste. Hay veces que suenan a la vez dos que me gustaría escuchar y siento que me estoy perdiendo algo; otras, en cambio, paso una y otra vez del uno al seis y del seis a uno sin encontrar nada. Eso me pone nerviosísima. Podría poner el iPod, pero ahí tengo que elegir yo a un artista concreto y me cuesta decidirme, salvo que ponga el aleatorio, pero eso es aún peor que la radio, porque nunca aparece la canción que me apetece oír y las voy pasando una a una sin apenas escuchar unos segundos de cada una.

—¡Estate quietecita con la radio ya! —me reprocha mi madre.

—¡Lo siento! —me disculpo y la apago.

Sí, la apago. Estoy segura de que la he apagado porque le he dado al botón de apagarla. Y le he dado como siempre le doy, de ninguna otra manera. Estoy tan segura como que es de día. El problema es que a los pocos segundos de haberla apagado la radio se enciende sola.

—¡Huy! —me sorprendo.

—¿Qué? —pregunta mi madre.

—Que la radio se ha encendido sola.

—Mujer, le habrás dado tú sin querer.

Yo no le he dado sin querer porque yo tenía las manos en el volante, pero prefiero creer que mi madre lleva razón. Vuelvo a apagarla, me aseguro de hacerlo bien y me aseguro de que está apagada. Puede que mi madre tenga razón y que le haya dado yo sin querer.

Al doblar una esquina en la calle Claudio Coello un obrero nos detiene y nos impide el paso. Tenemos que esperar a que una hormigonera descargue el hormigón sobre la cubeta de una grúa. Intento dar marcha atrás, pero ya es tarde, porque ya hay varios coches detrás. Mi madre y yo esperamos mientras la hormigonera vuelca su contenido en la cubeta. De repente, ahora sí que estoy segura de que no he tocado nada, la radio vuelve a encenderse a todo volumen.

—¿Qué haces? —pregunta mi madre, sobresaltada ante el estruendo de la música.

—Yo no he hecho nada, te lo juro.

De los altavoces sale una mujer cantando ópera en el momento más agudo de su actuación y yo no soy capaz de apagar la radio por mucho que aprieto el botón, ni tan siquiera soy capaz de bajar el volumen, que sigue al máximo y parece que la cantante va a hacer estallar los altavoces. Nerviosa, toco de forma compulsiva todos los botones del equipo, pero soy incapaz de parar ese grito agudo. Tardo en reparar en que la hormigonera ha terminado de descargar y que el obrero me está golpeando en la ventanilla para que arranque de una vez. Los coches de atrás no paran de pitar.

El ruido es ensordecedor. A pesar de no poder hacer callar a la cantante de ópera, decido meter la marcha para arrancar cuando de repente el coche se apaga, como si se hubiera fundido. La radio se para, el motor deja de funcionar y las lucecitas del salpicadero se apagan. Lo que suena ahora es la bocina de los coches de atrás y los nudillos del obrero golpeando en la ventanilla mientras me grita.

—¿Quieres arrancar de una puta vez?

Casi en el mismo instante en el que el obrero termina de pronunciar esa frase parece paralizarse el tiempo. Hay un enorme estruendo, parecido al ruido que debe de hacer el estallido de una bomba, cuando apenas diez metros delante de nuestro coche se estrella contra el suelo la cubeta de hormigón que la grúa se había llevado hace unos minutos.

Media tonelada de hierro y hormigón cayendo a plomo desde una gran altura que nos hubiera aplastado a mi madre y a mí de haber podido arrancar. Después de unos cuantos gritos de la gente asustada por el estruendo, los de mi madre, los del obrero y los míos, la gente sale de los portales, los conductores de sus coches y los vecinos se asoman por las ventanas. Pronto viene la policía municipal y poco a poco va recuperándose la normalidad. Todo el mundo vuelve a su coche y los policías abren camino para que todos salgamos marcha atrás y aquí no ha pasado nada.

Cuando mi madre y yo nos montamos en el coche, éste arranca a la primera con total normalidad, las emisoras de música están cada una en su sitio poniendo las canciones normales. Mi madre y yo no hablamos durante mucho rato. Es ella la que finalmente rompe el silencio: «Necesito un *gin-tonic*».

No me cuesta asumir errores. Nunca he sido una persona orgullosa en ese sentido y además siempre me ha parecido poco importante llevar razón. Puedo pensar una cosa y al rato la contraria si alguien me da argumentos convincentes. Tampoco me importa demasiado cometer fallos, no pierdo tiempo torturándome por cómo podría haber hecho las cosas cuando no las he hecho bien. Tendré muchos defectos, pero creo que relativizar las cosas es algo que estaría más bien en la lista de mis virtudes.

Últimamente me doy cuenta de que todo aquello en lo que me he equivocado no ha sido una pérdida de tiempo, todo me ha aportado, haciéndome mejor, y tener esta sensación me libera. Sin embargo, hay errores que sí me cuesta asumir sin reprocharme haber causado daño a quienes más quiero. Ya he dicho que el amor no es una magnitud que pueda medirse y compararse, pero yo sé que lo que más quiero en el mundo es a mis hijas. No me perdono no haberlo hecho bien con ellas, ahí sí me torturo pensando que puedo haberles causado sufrimiento al no enterarme de lo que les estaba pasando.

Rosario me explica que Carla y Julia están mejorando. Yo también lo noto. Me cuesta ser disciplinada y cumplir lo que el psicólogo me dice que hay que hacer con ellas. En realidad, se trata de ponerles límites. Eso nunca lo he hecho. Ni Óscar tampoco. Siempre me ha parecido agotador aguantar rabietas después de decirles que no y no tardaba demasiado en decirles que sí. Me asusta la posibilidad de no haber llegado a tiempo y que se hubiera desarrollado su trastorno antisocial. Pánico sentí al ver en internet los síntomas. Descubrí dos cosas al leerlo: la primera, que podría haber sido fatal de no haberse tratado a tiempo, y la segunda, que jamás hay que buscar síntomas de enfermedades en internet.

Visitar a Rosario también me está viniendo bien. Tengo que reconocerlo. No sólo me marca las pautas a seguir con las niñas, también dedicamos algún tiempo a hablar de lo que me pasa a mí y muchas veces acabamos relacionando las dos cosas. Mi sensación es que muchas veces la consulta es como un círculo en el que partes de un punto al inicio de la sesión y acabas en el mismo punto después de recorrer un camino en el que a menudo descubres cosas sorprendentes.

Rosario me ha dicho que si quiero puedo buscar un psicólogo para mí, porque con él debemos centrarnos más en cómo hacerlo con las niñas que en mis problemas. De todas formas, hoy he aprovechado para contarle el sueño en el que aparecían las dos casas diseñadas por mí, la espectacular y la otra en la que están mi madre y las niñas.

—¿Cuál de las dos casas elegirías? —me pregunta Rosario.

—Depende de para qué —contesto.

—¿Cómo que para qué? —se sorprende.

—Sí, depende de para qué la quieras —insisto.

—¡Es una casa! —exclama con acento esta vez muy argentino.

—Claro, es una casa —digo, aunque empiezo a no entenderle.

—¿Y vos para qué querés una casa?

—Pues para...

Y ahí me quedo. De repente, caigo en la cuenta de la evidencia de la respuesta y me da vergüenza terminar la frase. Él espera en silencio a que lo haga.

—... para vivir. ¡Las casas son para vivir!

—Entonces, ¿en cuál de las dos casas que aparecen en el sueño te gustaría vivir?

—En la que están mi madre y las niñas.

—Parece obvio.

—Sí, pero no sólo porque estén ellas.

—Entonces, ¿por qué elegirías esa casa?

—Porque no necesito enseñarla.

Mi padre ha vuelto a Santander. Se fue con la sensación de que se había despedido definitivamente de mi madre en aquella mariscada a la que yo no quise ir. Siempre me gustó verlos juntos, incluso después de que se separaran, pero en aquella cena, que tenía mucho de última cena, yo no pintaba nada. Mi padre me dijo antes de marcharse que ni por las noches apagaría el móvil, que le llamara a la más mínima novedad respecto a la salud de mi madre. No le he llamado para eso, aunque me dice que es lo primero que piensa cuando ve mi nombre en la pantalla de su móvil. Le tranquilizo, Ernesta está bien. Yo le estoy llamando por otra cosa.

—¿Sabes algo de Estefanía?

—Nada, como si se la hubiera tragado la tierra.

—¿Cómo la conociste?

—¿Y eso?

—Ya sé que la pregunta es un poco rara, pero, cuéntamelo, por favor.

—Por casualidad. Ella entró en un bar en el que yo estaba desayunando y sin querer me derramó su taza de café en mi camisa.

—El otro día me dijiste que siempre te preguntaba por mí. ¿Qué cosas te preguntaba?

—¿María, pasa algo?

—No te preocupes. Es curiosidad.

—Preguntaba por ti, en general...

—¿En general?

—Bueno, ahora que lo dices, me hacía muchas preguntas del estudio, de si había socios, de si yo sabía cuánto facturabas, de los proyectos que tenías...

—¿Y tú qué le contabas?

—Pues todo. ¿Pero qué pasa?

—No pasa nada, Antonio. ¿Tú sabes si tenía familia, amigas, algún hermano?

—Una amiga. Estaban mucho tiempo juntas.

—¿Tú la conocías?

—Sí, claro. Estuvo en casa varias veces.

—¿Y cómo era?

—Guapa.

—¿Podrías ser más explícito?

—Pues era morena, con el pelo rizado, los ojos grandes verdes, muy bonitos. Ya te digo que era muy guapa.

—¿Alguna cosa más para describirla?

—Sí, tenía un lunar en la mejilla.

—¡Es ella!

—¿Quién? —pregunta mi padre muy despistado.

—No te preocupes. ¡Ya te contaré!

Ya he reservado en el Shami para comer con Carla y Julia. Quiero contarles que dentro de unas semanas nos vamos a cambiar de casa. Todas sus amigas son del cole, así que no notarán demasiado el cambio porque van a seguir yendo al mismo colegio. Incluso mejor, porque está un poco más cerca y la ruta tardará menos.

Para ir a comer hoy las he obligado a que se pongan un conjunto precioso que les traje de Nueva York y que les sienta de maravilla. La verdad es que, no me canso de decirlo, las dos tienen un estilazo. Siempre me ha gustado vestirlas iguales. Hay mucha gente a la que le parece una horterada vestir a los hijos igual, pero a mí me encanta. A lo mejor es porque yo no tengo hermanos y quiero que se note que ellas lo son. Nunca han protestado porque las vistiera igual, pero últimamente no les hace demasiada gracia.

—Eso es de niñas pequeñas —me ha explicado Julia antes de salir.

Finalmente, han cedido contra su voluntad, pero es que van monísimas y al restaurante al que vamos hay que ir bien. Ése es precisamente el segundo motivo de discusión.

—¿Dónde vamos a comer? —me preguntan las dos, ya en el asiento trasero del coche.

—¡Al Shami! —contesto muy contenta.

—¿Y eso qué es?

—Es el mejor restaurante japonés de Madrid —les digo.

—¡Jo! —protestan las dos al tiempo.

—¡Ni jo, ni ja!

Los niños son muy desagradecidos. Mis niñas, al menos. Ya sé que yo no he estado siempre a la altura, pero el nivel de exigencia que tienen es demasiado. Eso de que nos sintamos culpables por no estar demasiado tiempo con ellas al final lo detectan y hacen con nosotros lo que quieren. Hasta Rosario me ha dado la razón en eso. Desde que hemos llegado al restaurante están poniendo pegas. Que si hace mucho frío, que si no entienden la carta, que ellas quieren pan. Me armo de paciencia y pido yo la comida para las tres.

—Ya veréis qué rico está todo —intento animarlas.

—Sí, seguro —replica Carla con ironía.

—Os quería contar que estoy terminando de construir una casa muy bonita y que nos vamos a ir allí a vivir.

—¿Los cuatro? —se entusiasma Carla.

—¿También viene papi? —le acompaña Julia.

—¡No! Papi no.

No dicen nada, pero creo que antes de contarles lo de la casa lo mejor es que empiece por lo de Óscar.

—Ya sabéis que las personas mayores, aunque nos queramos mucho, a veces nos enfadamos.

—¿Entonces os habéis separado del todo? —me pregunta Julia.

—Sí, como los padres de Patri —contesta Carla antes que yo.

—Y como los de Lauri y Ana —recuerda Julia.

—¿Los padres de todas esas niñas están separados? —me sorprendo.

—Sí, pero los de Patri y Lauri se llevan bien —comenta Julia.

—Pero los de Ana son como vosotros —aclara su hermana.

—¿Como nosotros? ¿Qué queréis decir?

—Pues que no se hablan —sentencian las dos casi al tiempo.

No me atrevo a decir nada porque no sé qué decir. Apenas han tocado la comida y casi no me atrevo ni a reprochárselo.

—¿Qué pasa? ¿Que no os gusta?

—¡Está asqueroso!

—¿Ni la ensalada de algas?

—¡Buag! —dice riendo una, que contagia a la otra.

—¿Qué queréis comer?

—Yo una hamburguesa.

—Y yo espaguetis con carne.

—Pues vamos.

Pido la cuenta, que es, como siempre en este restaurante, una desproporción. Me ha costado caro venir a comer con las niñas a un sitio donde sólo quería venir a comer yo. Ellas ni querían vestirse así ni querían venir aquí. Me doy cuenta de las muchas veces que no me he dado cuenta de hacer cosas así.

Durante el trayecto en el coche casi no hablo. Les he puesto su música, grupos de éstos para preadolescentes que hay en los canales infantiles con sus ídolos, en la edad del pavo, a los que yo no conozco y que ellas imitan en gestos y peinados. Las dos se saben las letras de todas las canciones y cantan al unísono con mucha precisión. Ni una palabra se les va. Mirándolas por el retrovisor, entiendo que ellas tienen ya su mundo, que rara vez coincide con el mío y que esto será cada vez más así. Se saben las letras de unas canciones que yo jamás he escuchado y que, además, siendo sincera, me espantan.

Entramos en el Vips y sólo con ver la carta entiendo que era aquí el primer sitio donde deberíamos haber venido. El Shami no es para niños. Ahora que lo pienso, jamás he visto a ningún niño allí. Carla pide una hamburguesa, Julia sus espaguetis y yo una ensalada César.

—¿Y entonces lo de la casa qué? —retomo la conversación.

—¿Es bonita?

—Mucho.

—¿Y nuestras habitaciones?

—Es lo único que falta, porque he pensado que deberíamos elegir los muebles juntas.

—¡Bien! —se entusiasman—. ¿Pueden ser literas?

En el fondo todavía son niñas. Les digo que iremos esta tarde a ver la casa y luego a elegir los muebles. Si todo va bien, hasta merendaremos tortitas con nata, que es algo que las vuelve locas. Y así transcurrirá la tarde. Ellas no volverán a sacar el tema de su padre y a mí me pondrá triste que tengan que asumir que nosotros somos como los padres de Ana, de esos que no se hablan. De todas formas, lo intentaremos pasar bien.

Ya he dicho que no tengo amigas. Las que tuve se fueron o las dejé ir. Lo preocupante no creo que haya sido no tenerlas, sino no echarlas de menos. En realidad, la amistad es otra forma de amor y a lo mejor yo no he tenido el suficiente como para repartirlo. O puede que no sea algo tan trascendente, simplemente una amiga es otra mujer con la que compartir algún rato, algún interés, alguna afición, algún secreto. Y recalco mujer, porque aunque la amistad con los hombres pueda también existir, yo personalmente no la he experimentado. Yo, con los hombres de los que he sido amiga, me he acabado acostando. Tampoco sé muy bien en qué momento alguien pasa de ser tu conocido a ser tu amigo. Me pregunto cuáles son los requisitos, es sólo una cuestión de tiempo o ha de pasar algo que te convierta por derecho en amiga de alguien. Ni siquiera sé si la amistad debería ser recíproca en todos los extremos ni si el sentimiento que experimentan dos personas amigas es exacto en las dos.

Yo creo que sí hay un momento en el que dos personas se convierten en amigas, ése lo he vivido yo esta misma mañana con Blanca Ríos. He tenido la necesidad de contarle lo que me pasa con Eugenio y con Óscar. Ella es a la única persona a la que podía contárselo, aunque no sabía muy bien si lo iba a entender. Y vaya si lo ha hecho. Además, me ha abierto los ojos. Es verdad que los sentimientos no corresponden a ninguna lógica. Eso sí, hay que ser honestos con ellos, con una misma. Me pasa lo que me pasa y no lo puedo evitar. Me he sentido muy bien hablando con Blanca de ellos, debe de ser eso lo que se siente cuando se tiene una amiga. Yo casi no me acordaba y estoy feliz por haber recuperado ese sentimiento.

Hoy es un día normal, de esos que vienen sin ningún presagio. Un poco gris, eso sí, amenazando lluvia, pero sin llegar a cumplir la promesa de descargar, salvo algún ratito de lluvia fina que ni siquiera ha llegado a empapar el asfalto. Me ha costado levantarme esta mañana para llevar a las niñas a la ruta. Después he desayunado despacio y me he arreglado sin poder ir deprisa. Esta mañana no soy capaz de moverme con soltura, como si tuviera resaca y hubiera dormido poco. Y no es así.

Anoche estuvimos cenando en casa mi madre, las niñas y yo, y apenas bebí una copa de vino blanco para acompañar unos carabineros a la plancha que me hizo mi madre. No hay cosa en el mundo que me guste más que unos carabineros bien gordos hechos a la plancha. No es fácil cogerles el punto justo porque puedes dejarlos crudos o pasarlos demasiado y que queden resecos. Las dos cosas son fatales. Mi madre, yo no sé cómo lo hace, los tiene el tiempo exacto, ni un instante más ni menos, y cuando salen de la plancha están exactamente así, perfectos. Todavía calientes, aunque sin quemar, rompes la cabeza para chuparla y ese sabor es el que más me gusta de todos los que he probado. Ayer mi madre quiso invitarme a media docena y fue a comprarlos ella misma. Los debió de escoger a conciencia porque estaban buenísimos. Ella se tomó cuatro también, le gustan pero no tanto como a mí. A las niñas también les trajo del mercado su comida preferida, unos sanjacobos que hace el de la carnicería con el pan rallado muy fino que si los fríes al punto es verdad que están deliciosos. Además de los sanjacobos mi madre les hizo patatas fritas.

En casa normalmente cenamos en la cocina, pero anoche mi madre se empeñó en hacerlo en el salón. Estaba generosa y parecía contenta. Estaba la tele de fondo y habló mucho con las niñas, a las que ella misma se encargó de acostar. Después se marchó a su casa porque esta mañana tenía que ir muy temprano al médico a que le recetase un medicamento que se le había terminado y no tenía ganas de madrugar mucho. Quería llegar la primera para no tener que esperar, así que anoche no se quedó a dormir con nosotras. Se despidió de mí con un beso, me dijo «te quiero» y se fue en el taxi que había pedido minutos antes.

Mi nueva casa está casi lista. Creo que dentro de dos fines de semana nos trasladaremos. Hay que aprovechar esos mismos días para hacer la mudanza del estudio a mi antigua casa. Así la defino, mi antigua casa, y todavía vivo en ella. A mi nueva casa la llamo ya así, pero ha ido teniendo varios nombres: primero fue la casa del americano, después la casa de Gene y ahora ya me voy acostumbrando a decir mi casa cuando hablo de ella.

En mi casa hay esta mañana cuatro limpiadoras que he contratado para que la dejen impecable antes de desembalar los muebles y cuadros que faltan. Cómo me gusta esta casa. A pesar de la lluvia y lo gris sigue siendo luminosa. Me encanta tocar los muebles, las puertas, abrir los armarios de la cocina, que ya está instalada, y el sonido de mis tacones cuando camino por la tarima. Es verdad. No había caído en que es maravilloso el sonido de esta casa. Todo suena bien aquí, las puertas, el suelo al pisarlo, los armarios, las ventanas, la voz de la gente.

No había pensado en el ruido, ese ruido que tienen las cosas que funcionan bien. Es fácil utilizar el sentido de la vista; en los olores también reparamos con más frecuencia, pero muchas veces no prestamos suficiente atención a cómo suenan las cosas. En los coches nuevos, por ejemplo, es sencillo reparar en el olor, ese que a todo el mundo le gusta y que con el tiempo desaparece como desaparecen las cosas que no vuelven. Sin embargo, los coches nuevos también suenan distintos: los intermitentes, la palanca de cambios, los elevalunas... tienen una armonía especial que también desaparece con el tiempo. No nos fijamos lo suficiente en el ruido de las cosas. Yo ya me he dado cuenta de que esta casa suena de maravilla.

He quedado aquí con Eugenio, que se viene a acompañarme mientras están aquí las señoras de la limpieza, que deambulan de un lado para otro limpiando con mucho esmero. Aquí yo no hago más que estar de vigilante, porque aunque no dudo de la honorabilidad de estas señoras, hay demasiadas cosas de valor como para dejarlas solas. Entonces, sí dudo. Yo misma lo estoy diciendo. No es que dude, es que por si acaso no vas a dejar a cuatro desconocidas solas en tu casa. Pues eso es que dudas, porque si no dudaras las dejarías y te irías sin problema. Hay que ver las cosas que pienso con todas las cosas importantes que tengo que pensar. Menos mal que Eugenio acaba de llegar. No hay nada para tomar y tampoco hay demasiado que hacer. Bueno, sí, quedan por abrir algunas cajas y por desembalar algunos muebles, pero hasta que no terminen de limpiar es mejor no mover nada porque aquí con tanta gente haciendo cosas va a ser un lío.

Eugenio y yo nos sentamos en el sofá y hablamos de cosas intrascendentes. Hay un momento en el que nos entra la risa al mismo tiempo porque hemos reparado los dos en la misma cosa. Las señoras de la limpieza son de una empresa y las cuatro llevan una bata azul clarita de botones para no ensuciarse su ropa. Las cuatro batas son iguales y no sólo de color, sino de talla. Una de ellas es especialmente bajita y la bata que a sus compañeras les llega un poquito por encima de la rodilla a ella le llega un poquito por encima del tobillo. Además es muy fea, las cosas como son. Cuando pasa por delante de nosotros con una escalerita para subirse a una estantería a limpiar el polvo, a Eugenio y a mí nos entra un ataque de risa incontrolable. Creo que ella no se ha dado cuenta, o sí, porque nos cuesta disimular. Nos vamos a una habitación y allí ya se nos va pasando esta tontería que nos ha entrado. Él se seca las lágrimas y yo intento recomponerme del dolor de estómago que nos ha provocado la risa.

—¡Es tu móvil! —me avisa Eugenio todavía risueño.

—¿Sí? ¡Dígame!

—¿Es usted María Puente? —me pregunta una voz masculina.

—¡Sí, soy yo!

—Le llamo del Instituto Anatómico Forense. Esta mañana ha aparecido sin vida el cuerpo de su madre, doña Ernesta Sánchez, en la habitación de un hotel.

Siento un desgarro similar al que debe de producir una puñalada en el estómago, una pena horrible. Da igual cómo definirlo, el caso es que duele demasiado.

Justo desde el mismo instante en el que sé que mi madre ha muerto, ya no pienso en ella, sólo la recuerdo. Ya no puedo imaginar que esta noche vendrá a cenar, ni que se reirá cuando las niñas bailen alguna coreografía ensayada delante de la tele, ni volverá a cambiar las palabras a los refranes, ni a hacerme carabineros a la plancha... Mi madre ya no estará y siento un vacío espantoso.

Menos mal que está conmigo Eugenio. Él se ha encargado de todos los trámites, aunque mi madre lo había dejado todo muy organizado. Todo estaba dispuesto porque había elegido desde hacía algún tiempo la forma en la que iba a morir. Lo ha hecho en un hotel, yéndose de una manera tan educada que ni me atrevo a reprocharle que adelantara su muerte y nos dejara sin su risa antes de tiempo.

Por un minuto más con ella yo habría sido capaz de dejarlo todo. Me doy cuenta ahora de que no está, me doy cuenta de lo mucho que ya la echo de menos. Cuánto la quería, a lo mejor tuve que decírselo más veces, a lo mejor anoche debí darle más besos. Nunca se dan los besos suficientes, siempre se dan de menos por muchos que se den. De eso tienes la certeza cuando ya no puedes dar más.

Me encantaría ser creyente, aunque no sé si lo soy. Ella lo era, desde luego, aunque no era una mujer religiosa. Decía que la religión era sólo una forma más de creer. Decía que había «algo», pero que Dios era un invento. A veces yo le decía que era muy poco coherente comunicarse con espíritus sin creer en Dios, pero ella lo veía como la cosa más normal del mundo.

Estoy con mi padre en el tanatorio recibiendo el pésame de todo el mundo que ha venido. En el estudio se han ido turnando para venir y al final no ha faltado nadie. Eugenio y Blanca son los que más tiempo han estado por aquí. También he hablado con Óscar, al que le he pedido que no viniera y que se quedara con las niñas hasta después de la incineración. También dejó dicho mi madre la forma en la que quería que desapareciera su cuerpo de este mundo.

Se me ha hecho muy largo este tiempo, primero en el tanatorio y después en el cementerio. Qué natural es la muerte y qué nerviosa me pone pensarlo. Pero tanto tiempo y tantos nervios me han servido para no pensar en el dolor. Qué deprisa ha sucedido todo, qué rabia me da lo mucho que aún le quedaba por vivir. Sobre todo ver a Carla y Julia crecer, eso era lo que más le entristecía. Ernesta era una mujer muy fuerte, no había más que verla durante estos últimos meses, pero lo de las niñas le podía. Pensar en perdérselas era algo que no podía soportar.

Mi padre y yo recogemos una urna con las cenizas antes de ir a dejarlas al nicho que ella tenía contratado. Hemos querido quedarnos solos mi padre y yo para hacerlo. Eso ha sido muy rápido. Un par de operarios lo han abierto y han dejado allí la urna antes de volver a cerrarlo. Yo estaba deseando marcharme, dejar esta serie de rituales del tanatorio, el crematorio y el cementerio que, aunque se lleven con toda la naturalidad posible, siempre tienen algo de macabro que me cuesta aceptar.

Antonio ha llorado muy poco en todas estas horas, aunque se le nota muy triste. Yo he llorado más, mucho más. A pesar del dolor de cabeza que tengo, el paseo junto a mi padre desde el nicho hasta la puerta del cementerio me resulta reparador. No hablamos, pero nos sentimos juntos. Las personas se sienten muy próximas cuando sienten las mismas cosas. Y más si es por la misma persona. Le propongo a mi padre que venga a casa, pero dice que irá más tarde, que le apetece dar una vuelta por el centro. Coge un taxi que le lleve hasta allí y quedamos en que luego vendrá a cenar.

Yo decido seguir paseando un rato más. Me apetece pensar en mi madre. El día sigue gris y un poco ventoso, pero ya no llueve. Casi agradecería que lo hiciera si la lluvia fuera fina. De todas formas, el aire me refresca la cara y respirarlo profundamente me hace sentir alivio. Debe de ser por eso por lo que tardo en reparar en que no camino sola por esta acera que creía deshabitada, tan lejos de la ciudad. Un hombre me sigue los pasos muy de cerca y hay un instante en el que me asusto, justo antes de que se dirija hacia mí desde mi espalda.

—¿María?

Al volverme no le reconozco, aunque me resulta familiar. No es un conocido, pero desde luego ésta no es la primera vez que le veo.

—¡Hola, María! Soy Luis, Luis Osuna.

Su tono de voz y su mirada son amables, de esas que dan confianza porque entiendes que una mala persona no puede tener una cara así. Yo tardo en darme cuenta de quién es, pero al final viene a mi mente desde el recuerdo una blusa naranja, una pinza del pelo de nácar, un coche, un beso...

—¡Luis! —exclamo—. ¡El torero!

Se aproxima para darme un beso, algo que nunca había hecho porque mi madre nunca llegó a presentármelo, como es natural.

—¡Me gustaría hablar contigo! —me propone de una manera muy educada.

—¿Para qué?

—Yo estuve con tu madre las últimas horas.

—¿Cómo? —digo muy sorprendida.

—Sí. Yo fui la persona que estuvo con ella al morir y me gustaría contártelo.

No sé qué decir porque no salgo de mi asombro. No tenía ni idea de que Luis, el torero, como ella le llamaba, hubiera vuelto a su vida. Mi madre, que nunca dejó de sorprenderme, ni siquiera va a dejar de hacerlo después de muerta.

Mi madre había contactado hace unos meses con Derecho a Morir Dignamente, una asociación legal con distintas sedes en algunas provincias de España. La de Madrid está en la misma Puerta del Sol. A través de ellos consiguió la «guía de autoliberación», una información para personas, en su mayoría enfermos terminales, que deciden adelantar su muerte evitando sufrimiento y deterioro. Con esa guía consigues la fórmula de un cóctel, al que también llaman de autoliberación, que te provoca una muerte sin sufrimiento en menos de media hora.

—Yo me marché cuando se quedó dormida y te aseguro que no sufrió.

Luis, el torero, me cuenta esto en una cafetería de la Gran Vía, muy cerca del hotel en el que mi madre decidió morir.

—Cuando Ernesta me llamó hace un tiempo para contarme lo que quería hacer —continúa—, el que casi se muere soy yo.

—Yo creía que dejó de verte después de tu cornada —le digo.

—Después de eso nos distanciamos, pero un par de años después nos volvimos a encontrar.

—Yo sé que ella estuvo muy enamorada de ti, no hace mucho me lo confesó.

—Y yo de ella, pero entre tu madre y yo había una gran diferencia que nos impidió estar juntos.

—¿Cuál?

—Que yo soy un cobarde.

El día anterior fue cuando mi madre decidió que moriría al día siguiente. Al fin y al cabo, había que decidir una fecha y antes de cualquier recaída era mejor anticiparse. Luis la acompañó por la mañana al mercado a comprar los sanjacobos para las niñas y después los carabineros para mí. Luis me cuenta que mi madre se puso muy pesada con el pescadero, hasta el punto casi de discutir, para que escogiera, uno a uno, los mejores.

Después fueron a reservar la habitación en el hotel para venir por la noche. Una habitación bien grande, con espacio para la cama y para una mesita de centro y un par de sofás de una plaza. Subieron para que mi madre lo dejara todo preparado. Se llevó una foto mía, otra de las niñas, un camisón, ropa interior, el cóctel, por supuesto, y un yogur sabor de coco que guardó en la neverita del minibar. Lo dejó todo en la habitación y al salir colgó en la puerta el cartel de «no molestar». Se despidió de Luis hasta medianoche y se fue a mi casa a cenar.

—No noté nada distinto en ella esa noche —confieso.

—Ella quería que todo fuera natural, despedirse de vosotras sin hacer ningún drama y hacerlo consciente de lo que hacía. ¡Tu madre era la hostia!

Ernesta y Luis pasaron la noche hablando hasta el amanecer. Hubo momentos en los que incluso se les olvidó el motivo por el que estaban en esa habitación de hotel. Me cuenta Luis que a ratos hasta se rieron bastante. A mi madre, me dice, le hacían mucha gracia algunas historias de toreros que él le contaba, sobre todo las que tenían que ver con el ridículo que a veces te hace pasar el miedo. También lloraron, porque hablaron de la vida, de lo bonita que es y de cuánta pena da dejarla cuando sabes que te queda poco. Hablaron de muchas cosas, pero, sobre todo, mi madre habló de mí. Al parecer, le contó mi vida, desde que era niña, hasta ahora. Me emociona que Luis me cuente lo orgullosa que ella estaba de mí. Las madres eso siempre lo expresan mejor cuando están con otros, por eso es que casi nunca lo sentimos así. Pues ella estaba muy orgullosa de mí y de cómo hacía las cosas. Le hago repetir a Luis eso de que mi madre estaba orgullosa de cómo hacía yo las cosas.

—No te conozco —me revela—, pero a través de ella saco la conclusión de que os parecéis mucho.

Aún eran necesarias las luces de la habitación, pero por la ventana empezaba a clarear, a pesar de que el día amaneció algo lluvioso. Mi madre y Luis dejaron de hablar. Me confiesa que él estaba muy nervioso, aunque en ningún momento le pidió que cambiara de opinión. Mi madre entró en el baño y se duchó. Salió con un camisón y una bata. Fue en el baño donde ella misma mezcló el cóctel con el yogur de coco, que se tomó en compañía de Luis.

El «cóctel de autoliberación» consiste en varios medicamentos contra la malaria que mezclados en grandes dosis resultan mortales al causar un paro cardiaco. La mayoría de esos medicamentos pueden conseguirse sin receta, y se mezclan con un hipnótico que provoque sueño para no sentir nada en el momento de la muerte.

Mi madre se tomó el yogur mientras Luis miraba amanecer por la ventana, intentando coger fuerzas para no llorar. Hasta que el hipnótico comenzó a hacer efecto mi madre tuvo tiempo para dejar sobre la mesa la carta manuscrita dirigida a la policía y al juez que en la asociación Derecho a Morir Dignamente te recomiendan dejar escrita para evitar problemas legales.

También tuvo tiempo para pedirle a Luis que hiciera esto que está haciendo. Contarme que decidió morir así, que fue dueña de su vida hasta el final y, sobre todo, que me quería, que me quería mucho. A mi madre le entró mucho sueño de repente. En silencio se levantó del sofá, besó a Luis, se quitó la bata, que dobló cuidadosamente en una silla, y se metió en la cama. No tardó ni cinco minutos en quedarse profundamente dormida y muy poco después dejó de respirar.

Luis se marchó llorando de la habitación y caminó un rato antes de llamar al hotel para decirles que avisaran a la policía. Mi madre acababa de morir en una habitación en la que definitivamente había entrado la luz del día.

TRES MESES DESPUÉS...

Carla y Julia me han dado el capricho de vestirse las dos igual. Saben que hoy es un día especial y no han protestado cuando han visto los dos vestidos iguales encima de sus camas. Hoy es la fiesta de inauguración de la nueva casa y ellas están encantadas con tanto jaleo, correteando a su antojo, comiendo pasteles y bebiendo Fanta de naranja sin que nadie les ponga límites.

Casi no cabemos, pero yo lo prefiero así. No hay cosa más triste que una fiesta en una casa en la que falta gente y sobra espacio. Desde luego, hoy no es el caso. Han venido todos los empleados del estudio y, además, la mayoría lo ha hecho con pareja. A ver qué tal se desenvuelven unos con otros con sus maridos y mujeres delante. Me refiero a los empleados del estudio que han tenido alguna relación entre ellos, que así que yo sepa son algunos y que no sepa deben de ser bastantes más. Menos mal que en este tipo de celebraciones no hay una máquina de la verdad para descubrir quién se ha acostado con quién, porque habría sorpresas monumentales. Ahí, por ejemplo, al lado de la chimenea, están bromeando el marido de una arquitecta con el administrativo con el que su mujer está liada y ésta a su vez habla de política con la señora del administrativo, con la que parece haber conectado de maravilla.

Mi padre no para de mirar el cuadro al óleo que hay enfrente del sofá en el que está sentado.

—¿Qué es? —me pregunta.

—Puede ser cualquier cosa —contesto.

—Pues me gusta —dice convencido.

—Tiene algo que hace que no lo puedas dejar de mirar —interviene Eugenio.

—¿De quién es? —pregunta mi padre.

—¿Ah, pero no conoces la historia? —se sorprende Eugenio.

Me voy de allí y dejo a Eugenio contándole a mi padre que yo en un papel y Gene en un lienzo hicimos el mismo dibujo sin saberlo. Creo que a mi padre, muy incrédulo de condición, no le interesa mucho lo que le cuenta Eugenio porque a los pocos segundos se levanta a buscar a las niñas, que siguen correteando de un lado a otro.

La mujer de Martín, el abogado de Puente, es una señora muy fea. Yo creo que Martín se avergüenza un poco de ella. No por fea, que a lo mejor también, sino porque no es nada discreta. Mi intención era saludarlos brevemente, pero la señora no me suelta y me acribilla a preguntas sobre la casa.

—¿Y esta casa es muy cara?

—No la compré —le digo—. Es una herencia.

—La encargó un matrimonio americano, ¿no?

—Sí, Gene y Patty, pero no eran matrimonio. Ella le acompañó a España, pero sólo eran amigos.

—El americano era tu padre, ¿no?

—Deja ya de preguntar —le llama la atención su marido.

Con una sonrisa aprovecho para desaparecer de allí.

—¡Qué maravilla de fiesta! —me dice Blanca tocándome por la espalda.

—¡Gracias, Blanca!

—Me alegro de que todo acabara bien con Eugenio.

—La conversación que mantuvimos tú y yo tuvo que ver mucho en eso —le recuerdo.

—A veces no se puede evitar querer a alguien.

—Ni se puede evitar, ni se puede forzar.

—Me alegro de verte tan contenta —me dice con una sonrisa.

Sí, la verdad es que lo estoy. Me encanta esta casa, me gusta vivir en ella. Las niñas están mejorando muy deprisa, incluso se han sorprendido en el colegio con el cambio. Y yo estoy con la persona a la que siempre he querido.

—¿Te pongo algo?

—Sí, ya sabes —le digo a Eugenio—, uno cortito, como el de antes.

Esta noche estoy tomando *gin-tonic*, lo que bebería mi madre si estuviera aquí. La echo mucho de menos, aunque poco a poco me voy acostumbrando a que no esté. A veces me da rabia cuando incluso se me olvida recordarla, pero sucede. La vida sigue. Es el tópico más cierto de cuantos he escuchado.

—¡Gracias por invitarme! —me dice Clara, a la que no había podido saludar todavía.

—Gracias a ti por venir —le devuelvo el cumplido.

—¿Qué tal te va con Lourdes?

—De maravilla. Llevo dos meses con ella y creo que ya tengo dependencia.

—La verdad es que engancha —afirma riendo.

Lourdes es la psicóloga de Clara, que me la recomendó a través de Eugenio. Tal cual me propuso Rosario, he buscado una psicóloga para mí y Lourdes es fantástica.

—Me ha dicho Eugenio que todavía no has encontrado trabajo.

—Estoy en ello —me contesta Clara.

—Ya sabes que si quieres puedes venir a Puente. Necesitamos gente que sepa organizar y Eugenio me ha dicho que eso lo haces de maravilla.

—Ya veremos —me agradece—, pero de momento puede que me salga algo en una productora de televisión.

Carla y Julia están fascinadas en un sofá con Luis Osuna, que sabe hacer juegos de magia con monedas, que hace aparecer y desaparecer entre las orejas de las niñas.

—¿Cómo estás? —le pregunto.

—¡Aquí, jugando con estas niñas tan preciosas! —me cuenta el torero después de sacarse de la manga una pelota de pimpón.

—¿Quién es ese señor? —me pregunta mi padre muy bajito.

—¡Un amigo!

—¿Un amigo? Pues no le había visto nunca.

Mi padre está un poco desubicado, no se acopla en ningún grupo de los que hay, así que me siento un rato a hablar con él. Y, cómo no, volvemos a hablar de lo único que se habla en esta casa en los últimos meses.

—Estuvo a punto de salirles el plan —me dice.

—¡Por poco!

—Vaya par de zorras —dice bebiendo de su coca-cola.

El par de «zorras» al que se refiere mi padre es el formado por la mexicana Assumpta Relate y la española Ingrid Cebrián, que eran los nombres reales de Estefanía y Rocío Hurtado, dos estafadoras de larga trayectoria que intentaron hacerse con los cuatro millones de euros que Gene Dawson quería invertir en mi estudio. Assumpta, que al parecer siempre ha tenido imán para los hombres con dinero, se convirtió en la amante de Gene. De este modo se enteró de que el escultor americano tenía una hija biológica a la que iba a dejar una herencia muy golosa. Con la ayuda de su amiga Ingrid urdieron un plan para el que necesitaban a dos hombres.

—¿Ya estáis otra vez con el temita?

—Es mi padre, que no para de darle vueltas.

—Os digo una cosa —nos confiesa mi padre—: Estefanía estaría conmigo por interés, pero a mí que me quiten lo *bailao* —concluye riendo.

Estefanía, bueno, Assumpta, se lio con mi padre para tener información del estudio de primera mano, mientras su amiga Ingrid, conocida por mí como Rocío Hurtado, se hizo amante de Óscar para completar la estafa. Mi marido pensó que esa mujer que se moría por sus huesos era una directiva del Banco Inversor, con el que siempre trabajamos en Puente. Le propuso una compra de terrenos a Óscar por cuatro millones para lo que le concedería un crédito rápido saltándose todas las instancias. Óscar se lo creyó, como se lo creyó también cuando le contó que la compra de los terrenos había sido una estafa y que a ella la habían despedido por haberle concedido el préstamo de forma irregular.

—¿Otro *gin-tonic*? —me propone Eugenio—. ¡Y levantaos de ahí que os vais a amuermar!

Eso hacemos y nos mezclamos con todo el mundo. A la gente ya se le está empezando a subir el alcohol un poco a la cabeza. Hay muy buen rollo. Es verdad que a pesar de pasar muchas horas juntos el ambiente en el estudio es bastante bueno y en general no hay rencillas insalvables. Yo me lo estoy pasando bien y estoy muy contenta de haber hecho una fiesta para inaugurar la casa. Hay muchas cosas que celebrar.

—Venga, ponme otro cortito —le pido a Eugenio, que parece el dueño de la cocina.

—¡Marchando! —dice encantado.

—¿Tú quieres otro? —le pregunto a Clara.

—Yo mejor un whisky con coca-cola.

—¡Eugenio, ponle a tu chica un whisky con coca-cola!

Todo el mundo anda contento, demasiado quizá, lo que me hace pensar que lo más conveniente es que las niñas se vayan a su habitación. Nuria, la chica que las cuida, se puede ir con ellas.

—¡Carla, Julia! Ya es hora de iros a dormir.

—No, mami, déjanos un ratito más.

—Venga, el último —dice Luis Osuna antes de hacer otro juego con unas monedas.

El torero ha hecho un corro de gente que observa sus habilidades y cuando termina, todos le aplauden.

—¿Pero este tío trabaja en el despacho? —vuelve a preguntarme mi padre.

—No, es un amigo al que he conocido hace poco.

—Pues es un poco mayor para ser tu amigo.

Las niñas aceptan irse a dormir y Nuria las acompaña a la planta de arriba. Antes de irse me dan un beso de buenas noches, le dan otro a su abuelo y otro a él.

—¡Papi, papi, acuéstanos tú!

—Venga, vale.

Óscar se va a acostar a las niñas y me dice que bajará cuando las deje en la cama. Veo cómo desaparece escaleras arriba.

—Me alegro mucho de que hayas vuelto con él —me dice mi padre al oído.

—Yo también estoy feliz, aunque haya cosas difíciles de olvidar.

—Al fin y al cabo, él no hizo nada que no hayas hecho tú —me recuerda—. Los matrimonios son difíciles de llevar después de muchos años.

Es cierto, Óscar tuvo una amante, como yo también los he tenido. Me puede doler, pero no seré yo quien le juzgue por eso.

—¿Pero tú creíste que él estaba compinchado con ella para estafarte? —me pregunta Blanca.

—Sí. Cuando vi las fotos de los dos juntos pensé que eran cómplices —reconozco.

Y es que a Óscar también le engañaron. Él siempre pensó que la deuda de los cuatro millones era real. El plan de Ingrid y Assumpta consistía en quedárselos cuando Óscar los devolviera creyendo que saldaría la deuda con el banco.

—¿Y qué ha sido de ellas? —me pregunta Blanca.

—Desaparecieron cuando descubrieron que les había salido mal el plan. Nosotros informamos de todo a la policía y supongo que las andarán buscando.

—¡Perdona, María! —reclama mi atención Luis, el torero.

—Dime, Luis.

—Me quería despedir. Es que tengo a mi mujer en casa y se está haciendo muy tarde.

—Gracias por haber venido —le digo, dándole dos besos y un abrazo.

—¡Cuánto os parecéis! —es lo último que me dice antes de marcharse.

—¡Y a mí que tu amigo me suena de algo! —me dice mi padre cuando desaparece por la puerta.

Óscar ha bajado de acostar a las niñas y se viene a mi lado. Veo a Eugenio y a Clara en una esquina. Deseo que Eugenio sea feliz y sé que jamás lo hubiera sido conmigo. Yo nunca he dejado de querer a Óscar.

—Si hasta te dijo él que estabas cometiendo un error —me recuerda mi marido.

—¿Quién? —le pregunto sorprendida.

—El espíritu de Gene, cuando se te apareció en esta casa, ¿no te acuerdas?

—Pero si tú no crees en esas cosas.

De repente, la música para de sonar, justo en el momento en el que un cantante español de moda empezaba a torturarnos con uno de sus éxitos. La gente se pregunta qué pasa.

—¿Quién está tocando la música?

—Nadie, ha saltado sola.

—Será que se ha acabado la fiesta.

—Espera, que creo que vuelve a sonar.

—¡Sí!

—¡Es Bruce Springsteen!

—¿Quién ha puesto a este tío?

—A mí me parece un poco pesado.

—Pues a mí me encanta.

—Oye, ¿no oléis un poco a marihuana?

Comienza a sonar en el salón una de sus canciones más famosas, de la que yo, como siempre, no recuerdo el título. Noto con esa música dentro de mí que ella me está diciendo que me quiere. Alzo mi copa y miro hacia arriba para brindar sin poder evitar una enorme sonrisa.

—¡Me alegro de que estés ahí!

Agradecimientos

A Miryam Galaz, por todo. A Ana Rosa Semprún, la jefa, por respetar nuestras ideas y decisiones. A Olga Adeva, por estar tan pendiente. A David Cebrián, por su complicidad. A Ruth, porque nos inspira. A Carmen, porque siempre se merece un agradecimiento. A Patricia, porque su opinión siempre nos anima. A todos los arquitectos que nos han ayudado, en especial a Joaquín Torres y a su equipo. A Pepe Leal, porque es un genio, aunque no sepa diferenciar a los guapos. A la Asociación Federal Derecho a Morir Dignamente DMD. A Jas, por su permanente generosidad. A Juancho, porque le debemos mucho y por coger el teléfono en vacaciones. A Susana, por hacernos la vida tan fácil. A Augusto, por recordar quiénes son los padres buenos y los malos. Y, sobre todo, a los lectores fieles, que siempre estáis ahí.

booket

Impreso en Black Print CPI Ibérica, S. L.
c/ Torrebovera, s/n (esquina c/ Sevilla), nave 1
08740 Sant Andreu de la Barca (Barcelona)